LARGE PRINT
wordsearch
EASY TO READ PUZZLES

ARCTURUS

ARCTURUS

© 2018 Arcturus Holdings Limited
Puzzles copyright © Puzzle Press Ltd

ISBN: 978-1-78828-836-1
AD006124NT

Printed in China
2 4 6 8 10 9 7 5 3 1

HOW TO SOLVE A WORDSEARCH PUZZLE

Wordsearch puzzles can be great fun and solving them requires a keen eye for detail…!

Each puzzle consists of a grid of letters and a list of words, all of which are hidden somewhere in the grid. Your task is to ring each word as you find it, then tick it off the list, continuing until every word has been found.

Some of the letters in the grid are used more than once and the words can run in either a forwards or backwards direction; vertically, horizontally or diagonally, as shown in this example of a finished puzzle:

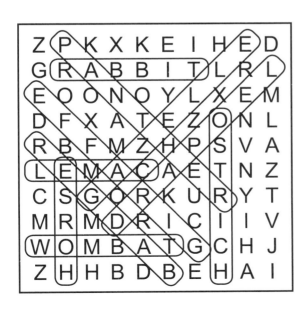

BADGER ✓   LEOPARD ✓

CAMEL ✓   OSTRICH ✓

GAZELLE ✓   PANTHER ✓

GIRAFFE ✓   RABBIT ✓

HORSE ✓   WOMBAT ✓

MAKE ME LAUGH

ANTICS

BUFFOONERY

CAPER

CARICATURE

COMEDY

FARCE

GAGS

IRONY

JAPE

JEST

JOKE

JOSH

MOCKERY

NONSENSE

ONE-LINER

PARODY

PRANK

PUN

QUIP

RIDDLE

SLAPSTICK

SPOOF

TALL TALE

WISECRACK

```
F R C F T F Q T J E J C O W O
Y E V W I S E C R A C K C C B
S P L V C Q E R Q N M R A E Y
T A E L C F C J W T M R A D Z
K C I T S P A L S I I W E F I
G X D Y L S R U N C R M S Y E
I L S P O O F A A S O R Q R S
E L A T L L A T N C N V W E N
G Y T J B F U U V K Y F R N E
A Z R F O R I D D L E Y O O S
M C Z E E K R E N I L E N O N
S H I Y K N E X Q A Q Y H F O
G N S M D C M V S T U S O F N
A A A O Y D O R A P I A C U R
G H H G J L Q M J A P E P B A
```

BITS AND PIECES

2

CHIP

CHUNK

CROSS SECTION

CRUMB

DOSE

EPISODE

FACET

FLAKE

HALF

INGREDIENT

LUMP

MEMBER

MODULE

MORSEL

OFFCUT

PARTICLE

PERCENTAGE

SEGMENT

SHARD

SHRED

SPLINTER

VERSE

WEDGE

WING

```
G N I W D F W T P D E R H S A
Y N S Y L O N M N W M G A P I
Z Z A A I E S U O E S H L M N
Q H K E M F N E I D V P F U G
K E H G G A V T T G U W Z L R
T R E A Z C I S C E D L B U E
G S W T F E L R E X L W E U D
C H U N K T U M S E P P S T I
W Y K E U M E Q S E I O P Y E
F S P C B M N R S S B Z L P N
U Q F R B T O J O R T K I U T
F F S E O M R D R E J H N S A
O F R P F Z E N C V C N T E Z
U P A R T I C L E L J P E S F
M X D R A H S Z I I T I R P B
```

HOMES FOR ANIMALS

BYRE

CAVE

DEN

DREY

EARTH

FORMICARY

HILL

HIVE

HOLE

HOLT

LAIR

LODGE

LOFT

MOUND

NEST

PEN

PIGSTY

POND

ROOST

SETT

SHELL

TERRARIUM

TUNNEL

WARREN

```
K P Y P X E N G S T J K C F G
T T G L Z J L X L E P B X P S
Q E U M U D O O K E T F Y U L
P R W N P G N Z H R V T R R O
A R J D N X F U T H X A A R E
S A N B F E T G O S E C C I Z
E R H T I V L S X M O P I A D
O I E P I G S T Y D I O M L E
J U G K B H P Q K T Y E R D N
P M D T E C J A I V T E O Y E
G Z O L W A R R E N A H F U S
N X L D D L L I H R U E Q T T
A E N R P S K F T O M S V Q N
I O P L O F T H N I L L K I C
P M H N H U I Z H F Q T V F H
```

OILS

4

ATTAR

BEECH

CHAULMOOGRA

CITRONELLA

COCONUT

CORN

CROTON

CRUDE

DIESEL

FISH

FUEL

MACASSAR

NEROLI

ORANGE

PALM

ROSE

ROSIN

SANDALWOOD

SHALE

SNAKE

TUNG

WALNUT

WINTERGREEN

WOOL

```
M L E S E I D E I W A L N U T
A C C F V D E G N B H C E E B
C R O T O N H N N I K P E S W
A U C P D S Z A L H S D R E X
S D O O I U W R H N S O G W K
S E N F O B M O A Z A T R A M
A U U T I Y M K S L M T E V M
R Z T M L L E L B K N E T G I
C H A U L M O O G R A Z N A K
Z M B R G K Q R O S E U I M R
F U E L P N B C E G T U W S A
X I V A Q I F Y L N M Q E H Q
T I L M U A I O J J R L O A Z
S M C I T R O N E L L A F L V
V F D O O W L A D N A S G E V
```

ELECTRICAL APPLIANCES

ANSWERPHONE

CAN OPENER

CLOCK

COMPUTER

COOKER

DOORBELL

DRILL

FIRE

FOOT SPA

FREEZER

HEATER

HI-FI UNIT

IRON

JUICER

KETTLE

LAMP

LIGHTS

MOWER

RADIO

RAZOR

REFRIGERATOR

SANDER

SCANNER

SPIN DRYER

```
L K V V L E I M S R R E W O M
C A N O P E N E R C K G L M L
E N O H P R E W S N A L O H G
F R E E Z E R L K C E N E Z I
R V A A I R L C M B O A N Q K
U R E F R I G E R A T O R E G
H Z E A R K R O R E J B K V R
M A Z D C W O R R E T H O E X
K O P O N D R E T U P M O C R
R E L S D A Z S O I D A R R V
P C T W T F S P I N D R Y E R
Q M E T I O L I G H T S L C L
Q U A R L R O B F M E N L I I
I A E L G E O F Y A W Q G U Y
T T Y X N T I N U I F I H J V
```

"ALL ..."

ALONG

COMERS

FOURS

HALLOWS

IN ALL

INCLUSIVE

KNOWING

NIGHT

OVER

PARTY

RIGHT

SAINTS' DAY

SEEING

SORTS

SOULS' DAY

SPICE

SQUARE

STAR

SYSTEMS GO

TELLING

THE WAY

TIME LOW

TOLD

WORK AND NO PLAY

```
Y E V I S U L C N I Z M T T S
A L A W A R F Y A W E H T I T
L H S P I C E Y U T N F O L R
P N T G N Y T R A P Y T E W O
O N H O T J U W C D F O U R S
N T B C S Y S T E M S G O Z W
D I Y E D K R O W K S L L S T
N F H O A D R P S N E Z U W U
A T D V Y P A P W O E I B O L
K E B B B L X O L W I X T L S
R L N E O P L F V I N Q A L Q
O L I N O E M W L N G N S A U
W I G C M V Q B X G I T F H A
Y N H I S R E M O C A L D S R
R G T O L D P R H R N D E K E
```

ANIMAL WORDS AND PHRASES

BEAR HUG

BULLISH

CASH COW

CAT AND MOUSE

CAT LICK

CATNAP

COLD FISH

DOG DAYS

DOG-EARED

FAT CAT

FOXHOLE

FROGMAN

HENPECK

LAME DUCK

LOAN SHARK

LONE WOLF

LOUNGE LIZARD

PONYTAIL

PUPPY LOVE

RAT RACE

ROAD HOG

SPELLING BEE

SWAN-NECKED

TOP DOG

```
P T F R M T F U A F U E T L G
F W G U H R A E B S I E R O O
L V S V O N P C W F H L A U D
O S D G J Z O A T J S O E N P
W D M O J A N G B A I H S G O
E A C P G N Y R U R F X P E T
N D K H E D T Q L R D O E L P
O W O C H S A C L A L F L I U
L L K G E T I Y I T O Y L Z P
Y E L O E P L K S R C T I A P
D Y X L O A N S H A R K N R Y
G O H D A O R E H C P T G D L
C A T L I C K E H E A A B M O
K C U D E M A L D C E P E P V
C A T A N D M O U S E O E F E
```

"X" AT THE END

ADMIX

APEX

BEAUX

BORAX

BOTOX

CHOUX

COAX

CRUX

DUPLEX

ESSEX

FLUMMOX

ILEX

LARYNX

LATEX

MUREX

ONYX

ORYX

POLLUX

PREMIX

SPHINX

STYX

SUSSEX

UNBOX

UNFIX

```
X V T Y L R A N H X U Y A X X
X X N I H P S P O L L U X E H
I X L C E U X O S A N A W S X
M C H X G V L U H B B R T S K
D S W E X X A T O N X Y M E X
A U T H E X R X X K O Y M S X
T S A Y Y O Y Y X E L P U D I
X S W B X T N R X H R X X G I
N E S T N O X X B E O U Z R X
G X D N Z B S S M M W R M U O
X D I X X W V I M R J C N B H
F U O U T L X U B U X F O E D
B B O R A X L X H X I Z W A X
L I X H Y F Q D J X E L I U X
X T R P C X X K X U S E V X N
```

UK PARLIAMENT

AMENDMENT

BENCHES

BILLS

BLACK ROD

CABINET

CHAMBER

DEBATE

LEADER

LIBERAL

LOBBY

MACE

MOTION

PARTY

POLICY

PREMIER

SEAT

SITTING

SPEECH

TORY

VETO

VOTES

WARD

WESTMINSTER

WHIP

```
I N X B R S E H C N E B A O Y
T N L S E A T M I R A M H R B
D O N J D F V A N F E C E K B
F I W U A T U C V N S T W D O
E T A B E D R E D B S H G O L
G O V I L G R M L N I T L V T
N M X L B H E A I P A R T Y T
I Y M L S N C M W O L Z R D E
T R X S T K T C B L I P M P N
T O X O R S P H W I B R B M I
I T K O E V W A H C E E P S B
S Z D W O D V M U Y R M Y M A
D G X T M E F B Y J A I O I C
E C E F T N Y E M W L E B C J
T S P O C S E R G H D R S Z Z
```

"DARK ..."

AGES

BROWN

CHOCOLATE

CLOUDS

COMEDY

CONTINENT

CURRENT

DAYS

ENERGY

EYED

GLASSES

GREEN

HAIRED

HORSE

LANTERN

MATTER

MEAT

NIGHT

ROAST

ROOM

SKY

SPACE

STAR

THOUGHTS

```
Q S C C L O U D S A N T T P L
A R Q O M H D X G U C H S U S
L A M J N W K E B N H G Y P H
A T I M S T S D Y W O I A N A
N S P A C E I R A E C N D G I
T K P S C J O N J I O H D S R
E C K C P O L K E A L O Z S E
R Y N Y M G T V C N A R G F D
N O T S T H G U O H T S L M Q
Y A A K T M K B H Y E E A A N
T D F S J J I G L G N P S T W
E P E M T T N E R R U C S T O
S W E M P Y T H H E U N E E R
N A T L O V H S F N E F S R B
T J D Z C C M C N E M N D Q N
```

PLURALS NOT ENDING "S"

ALGAE

AUTOMATA

BACTERIA

CACTI

CHERUBIM

CURRICULA

DICE

ERRATA

FEET

FUNGI

GEESE

GENERA

MEDIA

A	B	E	U	C	R	I	T	H	T	E	E	T	T	J
C	S	A	B	A	I	D	E	M	L	F	O	D	E	V
N	N	D	C	C	C	X	R	M	X	W	I	W	E	J
W	U	E	M	T	G	H	M	V	F	C	O	S	F	S
A	C	A	L	I	E	O	I	U	E	N	M	M	N	Z
M	L	S	U	P	E	R	N	O	V	A	E	G	E	I
R	E	U	C	N	O	G	I	G	G	S	E	G	B	N
Y	I	G	C	V	I	E	A	A	O	E	T	C	U	T
T	P	H	M	I	E	N	P	H	S	C	K	Y	L	D
V	V	Y	D	S	R	E	T	E	A	G	L	A	A	N
F	E	A	A	C	Y	R	F	A	T	A	R	R	E	P
Y	R	W	J	E	V	A	U	H	I	T	Y	X	P	U
L	G	K	Z	R	K	P	A	C	P	Q	O	O	Q	E
X	Z	W	G	A	A	T	A	M	O	T	U	A	F	Y
K	Y	M	I	B	U	R	E	H	C	K	F	Y	F	F

NEBULAE

NUCLEI

OXEN

PEOPLE

RADII

SUPERNOVAE

TEETH

TERMINI

THOSE

VISCERA

WOMEN

COLLECTIVE NOUNS

AMBUSH

ARMY

ARRAY

BALE

CAST

CETE

CLAN

CLUMP

CRASH

CREW

CROP

HOST

MIXTURE

```
G J E K U G S O B M R W S R W
X O Y E J R X C R A E K K F O
X B A R C R O P H R L Q E Z H
I S R U G F Q F C O B E I G A
L T R T S J H E W S O S N H L
D I A X Z V T R C L H L M O B
N N M I P E G J U R A M Y T X
J A B M H M S S E T Y I Y M C
Z C U O U Y U W R V O X G H X
M Y S A I R D L T E E Y S N L
M T H U R N D B C B T A Q A M
C R N U E M D E I J R S E L C
B A I S L F Y R R C M Z U C R
D X S N O I T A R U M R U M H
X K M T M W N Z X H S H O A L
```

MOB

MURDER

MURMURATION

MUSTER

OBSTINACY

SCHOOL

SHOAL

SHREWDNESS

SKEIN

TRIBE

ZEAL

ALL ROUND

BOTTLE CAP

BOWL

CIRCLE

DISH

DISK

EYELET

HOOP

HUBCAP

LENS CAP

LETTER "O"

MARBLE

MEDAL

PEARL

PELLET

PIZZA

PLANET

PLATE

PLUG

PUCK

SPHERE

TAMBOURINE

TURNTABLE

WOK

WREATH

```
L R K A Z G B V Z E E C F F Q
Q O E K C U P P M N R C H H J
W T M I O L E C V I E J O V E
C X Y N W L I U W R H O Z L X
B D T O L R A E P U P K B K W
L F B E C O W W B O S R R T X
E Z T L L D R R D B A U U R A
N D E L I E F E E M H R K I B
S K V S P T Y M T A N G U L P
C S H U P A C E L T T O B Q T
A I U D A L B A A O E H N E I
P D B Y Z P Z B D F R L N C Y
P R C O V Z L M E R E A M F D
B T A E I E Z X M I L H A K Q
D K P P L U N E T P D A X A U
```

ZEAL

AVIDITY

BIGOTRY

COMMITMENT

DEDICATION

DRIVE

EAGERNESS

EARNESTNESS

ENERGY

ENTHUSIASM

EXCITEMENT

FANATICISM

FIRE

FRENZY

GUSTO

INTENSITY

MILITANCY

PASSION

SPIRIT

STUDY

VEHEMENCE

VERVE

WARMTH

WILLINGNESS

ZEST

```
S H T M R A W S Y Z E S T E P
S S F A Q W O Y T F B T E R A
E D E V I R D X I A I N X I T
N E A V E U Y X D N G E C F I
T D G O T R M Z I A O M I E W
S I E S O W V F V T T T T H I
E C R T Y D O E A I R I E G L
N A N L Z H E Z R C Y M M U L
R T E L N N F I B I Z M E S I
A I S E E S P A S S I O N T N
E O S R R S M Y N M D C T O G
R N G H F M I L I T A N C Y N
M Y Y T I S N E T N I V Q O E
V E H E M E N C E L C Q X N S
M S A I S U H T N E B U O A S
```

SHADES OF GREEN

APPLE

ARMY

BOTTLE

BRIGHT

DANDELION

FERN

FOREST

GRASS

HUNTER'S

KELLY

KHAKI

LEAF

LIME

LINCOLN

MINT

MOSS

MYRTLE

NILE

OLIVE

PARIS

PISTACHIO

RACING

SAGE

TURQUOISE

```
D G F X F Z K H N B Z R I E S
R D U M G K Q A U P A P K V S
L D F O R E S T M N M Y A I O
E S A S L Y E M D Y T V H L M
A S K N A T D L E J R E K O I
F A Y E D G U H T L T T R Q N
N R E F L E E R A T P Z L S T
D G M Y D L L A Q I O P X E T
A G X X U A Y I S U D B A H E
L I N C O L N T O H O Q G L R
H I R I K F A W H N Y I I Q J
Q Q Q P C C N D S M R N S E W
I V F I H A P G R B R W M E K
H H K I S I R A P Y J I W I F
F C O S E Y M O R S L W Z R N
```

"OVER …"

ALLS

BOARD

CAME

CAST

COAT

DRAWN

FEEDING

FLOWN

GROWN

HASTY

HEARD

INSURED

LEAF

LYING

PAINTED

PASS

SEAS

```
Z I Z A N L Z M N S F A D U H
M G W I L W R O U G H T R O D
C N I A F L O W N L U O A A E
F I O A Z M S R H C P H O I R
W Y A I E B H T G Z W E B C U
Z L Q H T A O C R U F A X F S
D E T N I A P H T I U R K A N
L K F X S J L P K L H D E C I
C W E K F E D U N B E S E S V
V X E K V Q L W C D H A S T Y
U I D I Q K A P F E E A F C N
E C I P G R W X P Z P T T A O
B A N O D H Y L E O A S A S M
A M G S S O T V B Z T Z E T H
H E C N F P D T R L D Y X M S
```

SHIRT

SPECULATION

STATED

THE MOON

TOPPLE

WEIGHT

WROUGHT

FUNGI

AMANITA

ANNULUS

BRACKET

BUTTON

CEP

CORAL

CRESTED

DECEIVER

ENOKI

GILLS

INK CAP

JELLY

MYCELIUM

OVOLO

OYSTER

PORCINO

PUFFBALL

RUSTS

SHELF

SMUTS

ST GEORGE'S

STIPE

TRUMPET

VOLVA

```
S A O X O M H S Q A E N O K I
S X N D N S T V R Z P W W N B
L L L N A S S D Y E Y E K A R
L S S T U M S Y O E T C C X A
I L H R V L A D W N A S N M C
G K L E Z O U N E P I U Y Q K
Q S Q A L Q L S I C X C D O E
X I T H B F Y V N T E T R C T
C T D I Z F U R A L A I R O L
L O R U P G F B I O X E V X P
Y D R U B E V U V C S X Z E Z
L X N A M D M O P T O J K X R
L F I D L P L X E N O T T U B
E X X B F O E D I O K N N L P
J C C C R E S T G E O R G E S
```

DOUBLE "S"

ABYSS

ACROSS

ASSIGN

BLESSING

BLISSFUL

BYPASS

CHESS

EGRESS

EXCESS

FLOSS

FUSSY

HUSS

IMPRESSION

LASSO

LISSOM

MESSY

MOUSSE

OPPRESS

REMISS

STRESSED

TISSUE

TUSSLE

WESSEX

WORTHLESS

```
S S S S E R P P O S C S S L S
S S O X Y J T X Q T X H R I S
S I M P R E S S I O N E E S R
O Y C E A S S I G N M S Z S S
R B A S P S N D I S T Z O S
C B L U S S X E S S E W A M B
A Z J I C O Y S L E D I B E Y
G N I S S E L B I H L N Y D P
X F E O S S X F S M T S S T A
S F U S S Y F C O S J R S K S
T S Z S E O J U E A S G O U S
H G K A R O S K L S Q M C W T
D U S L G S Y E S S S D C L S
D E S S E R T S E U S S I T X
F I W S S O P G H S S B H S O
```

"IN" AND "OUT"

INCAPABLE

INCENDIARY

INDEED

INDULGE

INFANT

INFORM

INGEST

INLAND

INSANE

INSECT

INVEST

INWARD

OUTBRAVE

OUTCAST

OUTDOORS

OUTGIVING

OUTHAUL

OUTRAGE

OUTRIDER

OUTSIZE

OUTSTRIP

OUT-TAKE

OUTVOTE

OUTWIT

```
O U T E L W Y I N I O E V R I
I N D U L G E O O I Z L E I N
F I N V E S T U U I N D E E D
E N A S N I T U S T I I N O T
W F L N S B O T A R V T Z C O
V I N O R R U U T Q U O E U T
I N I A A O F U T O W S T T N
N C V W M F O I K W N G S E A
C E O O D R A W N I I D R O F
A N U U U N O C N V N T O U N
P D T T M T Z F I I G U O T I
A I H T U T C N N N E O D R I
B A A A Q O G A Q I S N T A N
L R U K O U T L S B T I U G L
E Y L E P I R T S T U O O E G
```

MOUNTAIN RANGES

APPALACHIAN

BAUDO

BRUCE

BYNAR

CASCADES

DICKSON

GUADALUPE

HAIHTE

HANKIN

JURA

KRAG

KUNLUN

MAGALIESBERG

OZARK

PIONEER

PURITY

SALVESEN

SAWATCH

SIERRA NEVADA

TAURUS

TETON

TIEN SHAN

URALS

WICKLOW

```
H C T A W A S U D A M T V S F
A D A V E N A R R E I S E W T
U P D H S X F A H E N D H I I
G N P G A R K L N I A A N I N
I E K A W N O S K C I D R R U
J U N Y L T H N S H W Z E Y L
U U O X G A A A T N O E T E N
N M R B N H C E F Z N I Q P U
E G R A N Y B H A O R T R U K
S U R U A T B R I U B U U L W
E J V D H E K P P A V X R A D
V M K O C T Z W S M N L X D W
L X D U W O L K C I W K T A E
A U R U C N I Y C K W T W U V
S B M A G A L I E S B E R G U
```

CONSUMER ELECTRONICS

APPLE

ARCAM

ARCHOS

CASIO

COWON

JVC

LINN

MICROSOFT

MISSION

MOTOROLA

NOKIA

PHILIPS

PIONEER

```
D F H M Q X A B I H S O T A Z
A G O D S A L O R O T O M G T
U G O I S A C E Y O T Z N S R
Q M I C R O S O F T E G A Y G
C C S O E U H A D N Q N V S R
T Q C W B N I C I S Y U P X E
H V S U E K U T R O U S N R E
J I P S O A H L A A N M O K N
J Z I N M D E P B S W A Q O O
D I L E Q S P P C A L S S T I
X O I M Q L W J S J H M L A P
T B H E E S L B R H O A C R S
K L P I I C I M E H A H M C E
M I S S I O N O T J J R N A F
J I L K J V N N O W O C P M Y
```

QUAD	SIEMENS	VIZIO
SAMSUNG	SONY	YAMAHA
SANYO	THOMSON	ZENITH
SHARP	TOSHIBA	

"UP" IN FRONT

BRAID

CAST

COMING

DATED

ENDED

FIELD

FRONT

GRADE

HELD

HILL

HOLSTER

LANDS

LIFTED

LOADED

LOOKING

SHOT

SIDE

STAGED

STANDING

SURGE

TAKE

TREND

WARD

WIND

```
C A B K D E G A T S D E D N E
T F H F D O Z J N T O I R G G
V B D I I A J P O E D F Z Y R
D L E H L E T C R Y J O W T U
D E T F I L L E F Z T D O Y S
X O B X H O T D D R L H E F X
E T T A O S G Q E S S N Z D N
K F Z K L T Z N H M Z V M E Y
A G I O K A D C S N J S I D E
T N H O H B N G O C Z H X A J
G S W D K Y E D I M F P G O S
B R A I D W D H S A I N S L J
A D R C I P A U A P Z N N B P
C X D N U X R D K T W A G P B
N T D G Z Z G N I D N A T S N
```

CRIME WAVE

ARSON

ASSAULT

ATTACK

BURGLARY

COUNTERFEITING

DRUG DEALING

EMBEZZLEMENT

FELONY

FORGERY

FRAUD

HOMICIDE

HOOLIGANISM

HOUSEBREAKING

Z	D	R	C	U	W	P	E	Y	K	J	G	C	R	F
M	U	R	O	T	L	U	A	S	S	A	V	I	C	E
G	A	G	U	H	O	O	L	I	G	A	N	I	S	M
N	R	V	N	B	U	R	G	L	A	R	Y	Q	A	E
I	F	G	T	W	N	V	F	O	R	G	E	R	Y	H
K	R	Y	E	M	B	E	Z	Z	L	E	M	E	N	T
A	T	G	R	M	A	A	K	F	E	L	O	N	Y	Y
E	F	N	F	E	O	T	E	T	K	N	Y	Y	C	C
R	E	I	E	L	B	D	T	I	R	N	N	A	A	N
B	H	G	I	C	I	B	D	A	I	E	R	I	R	E
E	T	G	T	C	Z	N	O	A	C	S	A	G	I	C
S	Z	U	I	Q	A	I	L	R	O	K	I	S	P	E
U	W	M	N	P	V	L	A	N	K	H	C	T	O	D
O	O	J	G	N	I	L	A	E	D	G	U	R	D	N
H	X	L	T	V	P	E	R	J	U	R	Y	E	X	I

INDECENCY

KIDNAP

LARCENY

MUGGING

PERJURY

PIRACY

ROBBERY

THEFT

TREASON

VICE

VILLAINY

NATIVE AMERICAN PEOPLES

APACHE

ARAPAHO

ARAWAK

BLACKFOOT

CHEROKEE

CHOCTAW

CREE

CROW

HURON

IROQUOIS

MOHAWK

MOHICAN

PAWNEE

PUEBLO

SEMINOLE

SENECA

SHOSHONE

SIOUX

TETON

UTE

WICHITA

WYANDOT

YAKIMA

YUMA

```
Q R S V E E E K O R E H C M U
F I A T M Y E I R O Q U O I S
D H U R O N R M A R A P A H O
O J U Q A W C O G J P M I A L
C X N F Y F Y H Y A K I M A B
H T O O F K C A L B W U G F E
O H T I W K R W N I Y S D J U
C X E P A Z O K C D E P O K P
T O T W X B W H M N O V Q X C
A O A V Q S I Z E L E T J U H
W R Y R X T A C N A C I H O M
A Q B Q A B A E H C A P A I V
S E M I N O L E E N W A P S T
B Z K B T Y T T X D A X S X Y
Z V A L N E N O H S O H S L Q
```

ROULETTE

BALL

BASKET BET

BLACK

CASINO

CHANCE

COMBINATION

COUP

EVEN BET

FINAL BET

HOUSE

LUCKY

ODD BET

PARLAY

PRESS

SINGLES

SLOTS

SPECIAL LINE

STRAIGHT UP

TIERS

TOKENS

TRIO BET

VOISINS

WHEEL

ZERO

```
X M B W P F J C U L J S X K H
D B U I Q Y F G G K T L H I G
B S I N G L E S U R Z O S W T
C A X E N I L L A I C E P S G
H W L W K S N I S I O V R L N
A W G L N C G Z W Y U V E O O
N L B E L H A H J Y P J S T I
C W K A T D E L T A E N S S T
E O D U S E T E B L A N I F A
T O P T L K B N D R Q A C H N
I D F I X O E N C A S I N O I
A D L E I H P T E P R A G U B
L B H R P P D Q B V G X A S M
D E T S L U C K Y E E S S E O
Q T J R H O L N V J T B P Q C
```

"MAKE ..."

A BID FOR

A FRESH START

AMENDS

BOLD

CERTAIN

DECISIONS

EYES AT

FUN OF

GOOD

HASTE

HISTORY

IT QUICK

MERRY

MONEY

MUCH OF

OR BREAK

OVER

PROGRESS

READY

SENSE

SURE

THE GRADE

TRACKS

WAY

```
I Y D A E R X C P O S F J N I
V Z J D F K Z M Z J V E V D U
Y A W G E O A B N C U T N D U
T Z R S L C O E E K R N E S R
H V F F R L I R R A A W S V E
E Y H U D G T S T B J X I S J
G V P H N A K S I X R K S K M
R Z Y W I O H D B O B O S C U
A Y Z N N S F E E Y N L E A C
D O R Y E O T P K S M S R R H
E D A R R Y E O D D O O G T O
D E F O E Y E N R G N M O M F
F A V G S M E S B Y E A R S C
U E R U S M R O A D Y J P R D
R E T S A H U A I T Q U I C K
```

DICKENS CHARACTERS

ADA CLARE

ADAMS

ARTHUR GRIDE

BARKIS

BAZZARD

BITZER

BUCKET

BUMBLE

FAGIN

FEZZIWIG

FLOPSON

LOWTEN

MARK TAPLEY

MR SLURK

NANCY

PANCKS

PERCH

POTT

QUINION

STAGG

TOOTS

TRABB

TULKINGHORN

VUFFIN

```
N A N C Y E L P A T K R A M B
P A X O L C C S S F Y Z D S U
H C R E P N U T P A N C K S C
H N E T W O L O Q E N F E H K
G H G W H T S O A R P L Q A E
A X B X B U K T O T B O U R T
K H L L A M R H A M T P I E X
H R T T R B G G U G F S N Z T
B J U H K N B B R E G O I T T
X C I L I M K A Z I X N O I N
U U S K S V F Z R B D P N B I
T X L M J R I Z F T S E R R F
D U I M A W M A D A D Y I A F
T I U L I D G R K N D H Z Q U
M N I G A F A D A C L A R E V
```

PARIS

AUTEUIL

BARON ROUGE

BASTILLE

BOURSE

CAFES

CATACOMBS

ILE ST-LOUIS

LASSERRE

LE BRISTOL

LE MARAIS

LOUVRE

METRO

MONTMARTRE

MUSEE RODIN

NOTRE DAME

PIGALLE

PLACE DES VOSGES

PONT NEUF

RIGHT BANK

SAINT DENIS

SEINE

SORBONNE

ST-GERMAIN

VINCENNES

```
L S B E I U K N A B T H G I R
N I I L E S T L O U I S V V Y
M I U N L O T S I R B E L I E
U O A E E E R R E S S A L N G
S E N M T D S E S F L I I C U
E R E T R U T B L E A E J E O
E V L M M E A N M L S C D N R
R U L U A A G A I O I X J N N
O O A P I D R T W A C T O E O
D L G I Y A E T S U S A S S R
I K I W I H H R R U E R T A A
N J P S B S U R T E U W H A B
P L A C E D E S V O S G E S C
H V Z W R S O R B O N N E W W
F U E N T N O P J M O R T E M
```

WITHOUT A DOUBT

ACTUALLY

ASSUREDLY

CERTAINLY

CLEARLY

EXACTLY

FINALLY

FOR SURE

FULLY

GENUINELY

HONESTLY

IN FULL

INFALLIBLY

PLAINLY

PRECISELY

PURELY

REALLY

SURELY

TOTALLY

TRULY

TYRANNICALLY

UNAMBIGUOUSLY

UNCONDITIONALLY

UTTERLY

WHOLLY

```
L Y L E N I U N E G G H J I Y
P L C K Y G Y L L U F P L L Y
Y U U S Y L R L V J V L L X L
L Y R F Y L L A U T C A E X R
S N L E N A E A C R N I X F A
U Y Z L L I S S E O T N A I E
O L Y A A Y U S I R S L C N L
U B L I F C Q T U C B Y T A C
G I E Y L N I A T R E C L L T
I L R X O D K N Y E E R Y L O
B L U A N W W L N W R D P Y T
M A S O E R L C E A R L L O A
A F C I S O K Z E B R E Y Y L
N N B M H O N E S T L Y M U L
U I B W R E R U S R O F T R Y
```

MAN BOOKER PRIZE WINNING AUTHORS

ADIGA

AMIS

ATWOOD

BARKER

BERGER

BYATT

CAREY

DESAI

DOYLE

ENRIGHT

GOLDING

HULME

ISHIGURO

KELMAN

LIVELY

MANTEL

MARTEL

NAIPAUL

NEWBY

OKRI

ROY

RUSHDIE

SCOTT

SWIFT

```
H Z N N M N A K O N N S C M K
B V E E L Y O D O A Y V X P P
S C W O L U R Y M N C H H Q O
G R B Z F C Z L S K F X S R E
F N Y A O J E E U P G C U I W
N E I L R K O V G C O G D D J
L S M D U K H I V T I H F O C
E X A L L A E L T H S N E O C
T R R X U O P R S U E L I W W
N F C T T H G I R N E Q Y T G
A A I F T X M E A T D E S A I
M E D W Y A U Y R N R N E Z B
R S L I S N Y A O A I R K O A
Y D G L G U M B C R E G R E B
B A S U S A G B R M F F S N P
```

GREEN THINGS

APPLE

BEANS

BERET

CARD

CROP

EMERALD

ENVY

EVERGREEN

FIELDS

FLY

GRASS

IGUANA

JADE

JEALOUSY

LAWN

MINT

MISTLETOE

OLIVE

PARTY

PEAS

PERIDOT

RUSHES

SAGE

TURTLE

```
D T M Q K N L S V R S I C Y X
A U R Y D C W T O D I R E P F
U R E S Z F A A L P A R T Y D
J T H U W K R E L S Z H S B L
H L A O F F I L P L W N E O A
J E V L E F X G B R A R H N R
G A Y A I O D I F E E J A F E
V P M E J R T Z B T U U V Y M
H P H J C H N E E R G R E V E
Q L H A R D N I L I U R Q Z H
E E R G O O Q D U T G S A M L
E D P D P L M S J C S T H S N
N W A E T I H X A A X I E E S
V X A J N V C L C G R U M A S
Y S R T W E N I D V E X Q N R
```

VARIETIES OF ROSE

ALL GOLD

ASHRAM

BRIDE

DEAREST

DENMAN

DOUBLE DELIGHT

FELICIA

IDOLE

JACK WOOD

LATINA

LEGEND

LUNA ROSA

LUXOR

```
I  P  E  A  C  E  Y  K  O  C  S  A  B  A  T
J  D  S  Z  M  P  R  I  C  E  L  E  S  S  S
A  S  O  W  Y  E  I  N  T  L  U  X  O  R  E
C  E  R  L  J  Q  A  A  B  M  A  S  O  I  R
K  Y  Y  N  E  B  F  S  Q  M  A  R  H  S  A
W  V  R  O  A  A  E  L  V  T  Y  Y  C  V  E
O  P  A  N  N  X  H  P  U  U  S  R  F  I  D
O  X  M  I  Y  F  T  Z  L  N  H  U  I  L  Y
D  V  T  R  O  D  D  E  N  M  A  N  R  A  U
B  A  E  E  Z  C  U  N  X  U  D  R  H  T  M
L  X  T  D  X  Q  C  V  Q  A  N  O  O  R  A
Y  J  I  I  B  A  I  C  I  L  E  F  Q  S  S
Y  C  B  R  O  D  I  D  L  O  G  L  L  A  A
H  T  E  B  A  Z  I  L  E  N  E  E  U  Q  B
O  Y  T  H  G  I  L  E  D  E  L  B  U  O  D
```

MARY ROSE

MYRIAM

PEACE

PRICELESS

QUEEN ELIZABETH

RIO SAMBA

SEXY REXY

TABASCO

THE FAIRY

TIBET

TRUST

KING ARTHUR

ARTHUR

AVALON

BLEOBERIS

BORIS

CHIVALRY

DEGORE

GALAHAD

GARETH

GUINEVERE

HECTOR

ISOLDE

KAY

LANCELOT

LIONEL

LUCAN

MERLIN

MORDRED

NIMUE

PELLEAS

ROUND TABLE

SAFER

TRISTRAM

UTHER

WIZARD

```
T  K  H  Z  W  H  T  E  R  A  G  B  F  B  N
B  R  O  T  C  E  H  R  R  E  U  T  H  E  R
O  O  H  S  M  D  P  N  C  D  R  A  Z  I  W
R  V  Q  C  E  E  O  T  O  L  E  C  N  A  L
I  L  P  G  L  L  B  L  E  O  B  E  R  I  S
S  V  O  L  A  K  L  P  F  S  B  T  D  S  N
E  R  E  V  E  N  I  U  G  I  H  M  A  T  D
E  A  A  N  C  Y  I  X  C  U  I  E  H  R  D
S  L  U  M  G  C  R  M  R  A  E  R  A  I  D
L  E  N  O  I  L  Q  L  U  X  N  L  L  S  E
Q  B  O  O  Z  B  X  U  A  E  I  I  A  T  R
Q  E  L  S  A  F  E  R  K  V  I  N  G  R  D
D  J  X  K  P  X  D  O  A  G  I  H  W  A  R
Q  Y  Y  Y  X  K  B  W  Y  Y  R  H  E  M  O
K  E  L  B  A  T  D  N  U  O  R  M  C  A  M
```

PASTA CHOICES

FARFALLE

FETTUCCINE

FIDEOS

FILINI

FUSILLI

GIGLI

GNOCCHI

GRAMIGNA

LASAGNA

LUMACHE

MAFALDE

ORZO

PENNE

PILLUS

PIPE

QUADREFIORE

ROTINI

STELLE

TORCHIO

TRIPOLINE

TROFIE

TUFFOLI

ZITI

ZITONI

```
E A U E J O X S B L E M M I X
H B A X I S U L L I P Z L U Z
C T U F F O L I G K I G I R W
A E E T R E N I L O P I R T G
M K N Z F U S I L L I J M R I
U F O N E R O I F E R D A U Q
L I E F E Z E P E Z J M F E I
A L L T A P D A L V I T A Y L
S I L Y T R I K I G T O L W G
A I E Z U U F A N K R R D B I
G N T Q I G C A U B O C E D G
N I S P D T Z C L T F H B K Z
A L X G O R O V I L I I X A K
V I I H C C O N G N E O D P P
P F C Y M J I T I K E M S G Y
```

CREEPY-CRAWLIES

DUNG BEETLE

EARWIG

EGGS

FLEA

FROGHOPPER

GNAT

HIVE BEE

IMAGO

LACKEY

LARVA

LEGS

LOCUST

MITE

NEST

ODONATA

RED ANT

RUBY TAIL

SAWFLY

SIMPLE

SPINNER

SWARM

THRIP

TICK

WEEVIL

```
L Y B S C K M V U G N X Q Z S
M T Y L F W A S Y H S D C R I
Y S S Y A T V M K S D G V F M
Z E X U C C Z S K C W V G R P
E N G E C V K G L B I I Z E L
M I P T L O P E F P W T R P E
V R W G E T L L Y R T T U P R
J J A E I E E V A O D E B O E
J O R W E A B E T I M H Y H N
M G E E S V P E B W C U T G N
A A T C D R I Q V G Y A A O I
N M D H C A T L N I N M I R P
P I R H T L N C J G H U L F S
U H F S T X W T F C W J D R T
N C E T O D O N A T A A P Q P
```

BREEDS OF SHEEP

ARCOTT

AWASSI

BALWEN

BELTEX

COLBRED

COTENTIN

DALA

GUTE

HEBRIDEAN

JACOB

LLEYN

LONK

MASAI

```
H J X P N W S N H D Q L I R N
E W W E W A V S Y E N M O R J
B A L W E N R I E R E A I N L
R M A A A O E T I B E T A N K
I O W S P L T H H L C G I C L
D N Y O W N A T R O E N D E R
E I S N I I W D Z C G S X L Y
A T I I I S S A W A O E E L Y
N N T R N S E Q G U T E U E R
M E T E P U E Q T L Y Q W Y F
T T O M L O T H E T U A E N D
B O C A J R D B F X T L O O Y
H C R E P O U M A S A I E S H
F I A U W A T N A N K K Q W P
Y S Z N A I M F D U B A Y O Y
```

MERINO   SOAY   TIBETAN

ROMNEY   SOUTHDOWN   TROENDER

ROUSSIN   TEESWATER   TUNIS

RYELAND   TEXEL

ALL "SET"

CLOSE-SET

CLOSET

CORSET

DORSET

GUSSET

HANDSET

JET SET

KNESSET

MARMOSET

OFFSETS

RADIO SET

SET ABLAZE

SET ABOUT

SET ASIDE

SET FREE

SET OFF

SET OUT

SET PHRASE

SETTEE

SOMERSET

SUNSET

TEA SETS

THICKSET

TYPESETTER

```
S  T  T  E  S  R  E  M  O  S  T  T  S  E  T
E  H  U  I  C  S  C  X  R  F  E  R  E  T  E
T  I  O  E  O  M  E  O  N  S  S  E  Z  Y  E
E  C  T  T  R  M  D  T  O  F  O  V  A  P  S
S  K  E  S  S  H  E  M  F  O  L  L  L  E  A
T  S  S  E  E  F  R  P  F  R  C  E  B  S  R
S  E  E  S  T  A  F  B  S  L  E  T  A  E  H
E  T  S  B  M  M  T  O  E  T  V  E  T  T  P
T  C  L  O  S  E  S  E  T  Z  R  S  E  T  T
A  E  Z  F  I  S  L  E  S  E  D  R  S  E  E
S  M  S  A  E  D  S  O  T  N  S  O  H  R  S
I  M  T  T  R  S  A  E  S  E  U  D  J  N  K
D  G  T  E  E  O  S  R  S  T  E  S  A  E  T
E  E  S  N  K  J  K  S  T  E  S  D  N  A  H
S  U  K  T  U  O  B  A  T  E  S  S  U  G  T
```

FAMOUS MEN

BYRON

CUSTER

DARWIN

DRAKE

EDISON

LENIN

LINCOLN

MANDELA

MANN

MARX

NAPOLEON

NELSON

NEWTON

OBAMA

ORWELL

POL POT

REAGAN

SHAW

STALIN

TROTSKY

TURNER

TUTANKHAMUN

WELLINGTON

ZHUKOV

```
W C E W U O V C A S T E L Y L
T E D I S O N N N Q U N C L N
G R T S K L I X O A A R E U N
N H O U A W I Y N P G W M N B
C E H T R L A V O Q R A L M H
M Z Y A S N E L T O H O E J G
D A D R A K E D G K C S E R N
N O R Y B O Y R N N S G F L O
Z N Q X N T N A I A M A B O S
H E S F O O T L L E M J H D L
D L A P T U L K L W M D L L E
J Q L W T E E L E S T A L I N
K O E X N K D Z W H L V N Y N
P N B I Z P U E B A J M G N G
Y U N R E T S U C W R D V B R
```

"COLD" START

CALLER

CANVASSING

CASES

CASH

CHISEL

COMPRESS

CREAM

CUTS

DUCK

FEET

FISH

FRONT

HEARTED

LIGHT

PACK

ROLLED

SHOULDER

SNAP

SORES

START

STEEL

SWEAT

TURKEY

WELDING

```
P U W Z W C F G N I D L E W K
J U L C A N V A S S I N G C S
O S F S C A L L E R F X A C E
P O H T D E T R A E H P B F S
E R U A U Q D E L L O R B R A
S E Q R C E B P I F I C D O C
T S V T K S E D C M B G S N X
Z A E C W O N O Q N Q A H T T
T F E R Q G D H M T T S O T J
U Y C W P M S A T F N T U R O
R D H P S M E P I A C Y L C F
K B I Z C R O S P C D V D H E
E M S M C U H C P K O G E L E
Y O E N Q S T E E L K N R J T
U M L M M C N S Z G I P R M D
```

"FREE ..."

AS A BIRD

BORN

CHOICE

ENTERPRISE

FLOATING

HOUSE

KICK

LANCE

LUNCH

MARKET

MASON

OF CHARGE

PEOPLE

REIN

SPIRIT

STATE

THOUGHT

THROW

TIME

TRADE

VERSE

WEIGHT

WILL

ZONE

```
P W K K E L A N C E E N O Z I
O E C C N T T E H R L M W E W
E I O W Q O A I G O X X I G E
K L I P Y C F T V R U V S T Y
S L T G L M X Z S Y A S G J E
L P W H X E A I D L Y H E S I
J N I H R D V R E L W K C W T
G S H R V O M G K O X B W F H
N C G U I A W A N E S M S B O
I G H F S T E T E Q T H P L U
T T U O J P F R H D I N Y M G
A N N W I M O N W G A J S B H
O R E I N C A S A B I R D O T
L U N C H Q E S R E V E T R B
F D E S I R P R E T N E W N K
```

GAMES AND SPORTS

ARCHERY

BATON

BINGO

BOBSLED

CARDS

CHESS

CROQUET

DARTS

DISCUS

DRAUGHTS

FENCING

GOLF

LONG JUMP

LUDO

POLE-VAULTING

POOL

RELAY

SHINTY

SLALOM

SNOWBOARDING

SOCCER

VOLLEYBALL

WALKING

WRESTLING

```
P W B G N I C N E F P G V D O
M S N D R D S S E H C G B E U
U G S M O L A L S A N N S L B
J I O T J R Z R R I V I N S S
G O R Z H D T D T V O L O B F
N W O N I G S L L S L T W O T
O T J S Z B U Q U W L S B B E
L J C V G A I A B L E E O Q U
Q U U S V N R N R U Y R A E Q
S L Z E O C I I G D B W R B O
U O L N H C R K G O A W D A R
A O X E R E C E L O L R I T C
P P R N U O Z E L A L G N O W
Z Y Y T N I H S R A W F G N Q
C M E F J O F N R F Y X O X J
```

SYMPHONY TITLES

ANTAR

ASRAEL

BABI YAR

CELTIC

CHORAL

CLASSICAL

FAUST

GOTHIC

ILYA MUROMETS

KADDISH

LINZ

MANFRED

OCEAN

ORGAN

OXFORD

PAGAN

PARIS

POLISH

PRAGUE

SCOTTISH

SEA

SPRING

TITAN

TRAGIC

```
S I R A Y I B A B D Z O K H N
M P V Y Y F S H S I T T O C S
A D R S H S I D D A K C R L K
S R V I E U G A R P P H N A D
E E D B N W P R Q Z K A N S J
B O E O B G A R L Q A T R S P
G B R L H S I L O P A L P I B
O J F G T S U A F R T E F C S
T S N H A K R X D C P A G A N
H R A D R N T S I R A R P L D
I P M X I T L T A E S S M H R
C X A T F I L J O C E A N Y O
T I T A N E X C C H O R A L F
V V S Z C I G A R T Y R F P X
S T E M O R U M A Y L I I Z O
```

"CROSS …"

BARS

BEAM

BILL

BONES

BREED

DATING

DIVISION

EXAMINE

INDEX

INFECTION

LEGGED

OVER

PARTY

PATCH

PIECE

POLLINATE

PURPOSE

RATIO

ROADS

TALKING

TOWN

WIND

WIRE

WORD

```
D N G R Z R Q Q G E N F R J V
U O D B C C I N F E C T I O N
Q I E X A M I N E J V C N H P
J S T V E T W S Q Y W M W P O
K I Z C A P A R T Y S F O A L
V V E D U W I N D E E I T T L
B I B S P R I L N S T A G C I
P D A E F X I O O A L E D H N
F Q R E R Y B P R K S A G M A
X D S D E E R B I D H X U W T
F I R J A U V N A E P Z B B E
B O Z O P Z G O X G Y S I E H
E A G R W E R X E D N I L S L
A E R I W C M M B R Q U L J V
M C E L E G G E D X V A W D Y
```

LOOK IN A DICTIONARY

ADVERB

COLLEGIATE

DIALECT

ENGLISH

GIST

GRAMMAR

HISTORY

INFORMAL

LEXICON

LISTING

PAGES

PLURAL

POETIC

PRONUNCIATION

REFERENCE

SEMANTICS

SLANG

SYNTAX

TENSES

TERMINOLOGY

TEXT

VARIANT

VULGAR

WORDS

```
H  S  I  L  G  N  E  U  C  I  T  E  O  P  T
J  C  X  J  Y  O  M  P  G  E  E  F  R  A  S
B  I  X  A  T  N  Y  S  R  T  A  O  U  G  I
Y  T  S  G  R  A  M  M  A  R  N  M  A  E  G
L  N  T  R  E  E  I  I  H  U  T  J  W  S  W
W  A  U  Y  X  N  G  P  N  N  E  P  H  E  T
G  M  G  A  O  E  N  C  A  C  I  C  G  S  V
K  E  I  L  L  O  I  I  N  D  M  J  L  N  V
B  S  O  L  C  A  R  E  I  A  V  P  A  E  L
C  G  O  I  T  A  R  A  G  V  L  E  M  T  I
Y  C  X  I  V  E  L  S  M  U  Z  W  R  X  S
N  E  O  T  F  E  L  U  R  L  Y  O  O  B  T
L  N  E  E  C  A  P  A  K  G  K  R  F  K  I
S  X  R  T  N  C  L  B  M  A  P  D  N  Y  N
T  G  E  G  H  I  S  T  O  R  Y  S  I  Q  G
```

MAKE A BREAK

BREACH

CRACK

CRUSH

CUT OUT

DEMOLISH

DISCLOSE

DISINTEGRATE

DISMANTLE

DIVIDE

GIVE UP

INFRINGE

PAUSE

PIERCE

```
J N I U R H N U C C Y T V R S
D I S I N T E G R A T E T U A
T N F Z L E N R I I D U S M O
T T E D C N N M U V O P J H J
S D W R D I E X S T E G S H M
N P E P S Q R S U N P U H S E
A I N K E E D C D G R U P I L
P Z U W Y G I C K C E E R L T
O Z G N B V W N L S S K O N
F K B Q J I I U G O P U C M A
F R R M W R D K L L I A A E M
A W E Z E F E C I N T P R D S
X S A V S N S T P P E O C Y I
F P C W E I U N R A V E L H D
X T H Q D S X A Z C S M A S H
```

REND   RUPTURE   SPLIT

RESPITE   SEVER   SUSPEND

RIFT   SMASH   UNRAVEL

RUIN   SNAP OFF

CRUISE SHIP NAMES

ARCADIA

ARTANIA

ASTOR

AURORA

BREMEN

CORAL

EUROPA

FRANCE

HENNA

MAASDAM

MANDALAY

MARINA

MERCURY

```
L Y A L A D N A M N O I R O T
L Y H I P W L A M A Y Y N J N
C A Y D O Y W A L N M X M C Y
U E A S R V M Y R U C R E M R
U G L V U L R R Z O A N N E H
B R E M E N O U R R C T V V C
M A C H B J I M T O R I A N A
V R G S N D A A G E O U N Y J
E O Z E E A N A G E R W G D J
N R B R S I M A C A S T O R Q
U U D D A A T N L H O O G Y H
S A A I R T A Z L T V G H N Q
M M D I A R C A D I A H S D U
J I N T F Q E C H A Y A J A V
C A S I L V E R W I N D L M E
```

ORIANA   RYNDAM   VENUS

ORION   SILVER WIND   YAMAL

ORSOVA   VAAL   ZUIDERDAM

REGATTA   VAN GOGH

A FEW DISCREET WORDS

CAREFUL

CIRCUMSPECT

CLOSE

CONSIDERATE

DELICATE

DIPLOMATIC

DISCERNING

GENTLE

GUARDED

HEEDFUL

JUDICIOUS

MODEST

POLITIC

PRUDENT

QUIET

RESERVED

RESTRAINED

SECRETIVE

SENSIBLE

SHY

TACTFUL

UNASSUMING

WARY

WISE

```
L G E L B I S N E S L K E N N
S U C E E X L R E S E R V E D
W W F O V U N A S S U M I N G
W A I E C I R C U M S P E C T
K C R S R T T A C T F U L M I
Z O R Y E A D E L I C A T E C
U N E D I S C E R N I N G H I
D S S D I I S Z J C E K U E T
C I T A M O L P I D E E X E I
V D R G V S R N U E T S I D L
L E A E H H E R B S S U Q F O
C R I N N Y P M E H Q O I U P
A A N T C D E D R A U G L L M
L T E L F G O E S Q B Q H C Y
I E D E W M J U D I C I O U S
```

HAVING NUMBERS

CALCULATOR

CHAPTERS

CLOCK

DARTBOARD

FLIGHT

GAUGE

HOPSCOTCH GRID

MATHEMATICS

PAGES

PO BOX

POOL BALL

PRICE TAG

RACEHORSE

RACING CAR

RADIO DIAL

RECEIPT

RULER

SCALES

SPEEDOMETER

SUDOKU PUZZLE

TAPE MEASURE

TELEPHONE

TICKET

WATCH

```
J G R X R A D I O D I A L K R
U R A C E H O R S E K C M Y O
E E C T D R A O B T R A D C T
N T I P T P I E C E R E T R A
O E N H T H G I L F S L A J L
H M G V C U Y U J C B Z P T U
P O C S A T R G I L L Z E I C
E D A G Z U A T R O S U M C L
L E R Z G T A W V C R P E K A
E E V J E M V C R K E U A E C
T P H C E P O B O X T K S T X
H S I H S E L A C S P O U L S
Y R T P A G E S O X A D R A J
P A P O O L B A L L H U E C V
M P D I R G H C T O C S P O H
```

LET'S HAVE A PARTY

49

BANQUET

BARN DANCE

BASH

BIRTHDAY

CEILIDH

CELEBRATION

FESTIVAL

FETE

FROLIC

GALA

GARDEN

HOEDOWN

HOOTENANNY

OCCASION

PICNIC

RAVE

REUNION

SHINDIG

SOCIAL

SOIREE

SPREE

STAG NIGHT

WASSAIL

WEDDING

```
E C S C P S A P W C R H W T G
N E E B F G E B S Q P I H G N
W O R L A T U A S H B G Y A I
O A B P E S F R O L I C I R D
D A T F S B H N S N O Y R D D
E Y N S Y H R D G W Y B E E E
O E K R O C C A S I O N U N W
H F A C B E T N T P I C N I C
K V E Q I S M C C I N K I L M
E Y X S R G C E K T O R O I S
G H O O T E N A N N Y N N A O
A J E S H I N D I G W W Q S I
L J E L D Z V S O C I A L S R
A L L U A U B A N Q U E T A E
I G B I Y C E I L I D H R W E
```

BIBLE CHARACTERS

BALAK

BELSHAZZAR

BOAZ

ELISHA

HAGAR

HOSEA

ISAAC

ISHMAEL

JAEL

JAMES

JESUS

JONAH

JOSEPH

```
A S A L P V U M T W Y Y R A Q
A T U N G V V A T B S A N L Z
T H E S W Y W R N D G L W A D
A Q S B E S Y Y S A A V F Z J
W Z Y I Q J O U H T A D U A K
R S U F L R M O H R A Q M R L
A A A K M E J O N A H E T U E
H R O L D J A E R Z S C S S A
A A O O O R O A Q Z A O K O M
B H C S A M S O N A X M A Q H
D I E H J A E L S H E M L V S
N P P U B I I I N S A F A Y I
H Y T J M O S E S L L I B I L
L A B A N C A Z L E Z A R E C
T Y G V C M J Z A B N Z H U N
```

LABAN	NICODEMUS	SAMSON
LAZARUS	PHARAOH	SARAH
MARY	RAHAB	URIAH
MOSES	SALOME	

LARGE LIST

AMPLE

ASTRONOMICAL

BROAD

BULKY

BUMPER

COLOSSAL

COSMIC

EPIC

GIANT

GREAT

HEAVY

HEFTY

HUGE

```
Y K L U B E H D H V A S T O I
U D S U O I G I D O R P E B S
V E A M V M Y U M I L G P M U
I Z L E V I A T H A N H I U B
E I R D T T Z E T L T Y C J S
S S L A C I M O N O R T S A T
T G N Y S O C G M U I L O A A
T N G E T I L M R T I V M B N
N I Y W M F A O A E O P A G T
A K N S A M E N S B A G S Y I
I M O I D N I H U S T T S V A
G C P A B C P M E W A C I A L
L Z O L M R P L M O C L V E E
R R A X E E M D Z T P L E H X
B U U Z R S U O G N O M U H V
```

HUMONGOUS

IMMENSE

JUMBO

KING-SIZED

LEVIATHAN

MAMMOTH

MASSIVE

PRODIGIOUS

SUBSTANTIAL

TITANIC

VAST

EXPLORATION AND DISCOVERY

52

AFRICA

ANTARCTICA

CAMELS

CANOES

CAPE HORN

COMMERCE

COMPASS

CONGO

DISCOVERY

EXPEDITION

EXPLORERS

HAITI

HISPANIOLA

INCAS

MADAGASCAR

PAPUA NEW
   GUINEA

PATRON

SPICES

TAHITI

TRADE

TRAVEL

UJIJI

WATERFALL

ZAMBEZI

```
N V H O G N O C A P E H O R N
I Z E B M A Z K L Q R Y R N M
H N O I T I D E P X E R A G O
Z I C T R W V J E A X E C L E
G B S A C Z B D S T P V S F M
C X K P S C A T L S L O A A E
I O F J A R F Z E I O C G C C
R K M N T N R C M T R S A I R
T U O P L H I V A I E I D T E
H E J G A P C O C A R D A C M
S W U I S S A T L H S S M R M
K S L C J E S T R A V E L A O
T A H I T I P A T R O N T T C
W A T E R F A L L P J S B N N
H A E N I U G W E N A U P A P
```

COOKERY TERMS

AL DENTE

AL FORNO

AMERICAINE

AU GRATIN

AU POIVRE

COCOTTE

DIABLE

DOPIAZA

DORE

EN CROUTE

EN DAUBE

FARCI

FLORENTINE

GARNI

MARINADE

MOCHA

MORNAY

PARISIENNE

PAYSANNE

ROULADE

ROUX

SAUTE

SOUSE

STIR-FRY

```
A L F O R N O Y Z X E Y R A E
C P R V I V I W A D J N M T U
X A B Y J C M Q A N I E U N H
C R G Y R S P L D T R O D E N
O I E A O K U Z A I R O M L E
C S F U R O F R C C G F M B E
O I S P R N G A N M L A U A D
T E Y O O U I E O O H A H I A
T N R I A N E Q R C D Z S D N
E N F V E L T E O N F A Q U I
R E R R E Z N M E B Q I B G R
O H I E V T E X T N V P D F A
U N T L I J D A U S S O O V M
X P S N X G L N A Y Y D R R V
V G E V Y P A Y S A N N E J W
```

ARCHITECTURE

ARCH

CANTILEVER

CARYATIDES

COLONNADE

CORNICHE

DADO

DORIC

EARLY ENGLISH

EASTERN

ECHINUS

ENTASIS

GRECIAN

IONIC

JAMB

LIERNE

METOPE

NORMAN

OGIVE

STANCHION

TORUS

TUSCAN

VAULT

VOLUTE

VOUSSOIR

```
I U N H J Z Q I S A N L R H T
O E K K L U E V N A U E S L E
N T G T C J V H M I V U U D S
I U J I A E U R C E N A A I G
C L R M V H O Y L I V N S O R
R O B I T N O I H C N A T S E
D V G O Q H T C R O T R V B C
T O R W J N E N L N X R O J I
U U O D A D G O E E N U J C A
S S D C L M C B Y R N H U I N
C S H S I L G N E Y L R A E E
A O A V T R G T R H R Y E J A
N I R A O U S L B I G Q R I H
F R C I N A A Y E P O T E M L
C R H S E D I T A Y R A C E K
```

"HARD" TO START

AND FAST

AS NAILS

BITTEN

BOILED

CASH

CORE

COURT

COVER

DISK

DRIVE

FEELINGS

HEADED

LINES

LIQUOR

LIVING

LUCK

PRESSED

ROCK

SELL

TIMES

TO PLEASE

WARE

WATER

WORKING

```
K E O E D E L I O B K B R H A
M L T K K W O B W C J S F K L
E S A E L P O T O C O U R T B
W G B S H X U R N H S E M I T
Z A S E N I L I V I N G T I L
H T R C T A C U K V S T W N M
M A T E J D I O P R E S S E D
Y U Y E E Q Q L V N D N V Y F
W R L D L T G M S E O I L E T
L I A I Z L S N U X R U M T Z
O E Y O Q O E A I D C W Y R Y
H S A C L U C S F K S I D E X
G Q H Y N J O O I D R Q R T N
T Z E T A B Q R R N N O H A W
W A T S G N I L E E F A W W L
```

CREATURES

56

ANTELOPE

BEAR

BIRD

BOAR

COOT

CRAB

GOAT

GOOSE

IBIS

IMPALA

MOTH

OUNCE

OXEN

PIPISTRELLE

PYTHON

REINDEER

RODENT

SKUNK

SQUIRREL

WHALE

WOLF

WORM

YAK

ZEBRA

```
N P O I D S K G E F Y B R I E
G I L O J R M B L G Y A M M P
E M E G U E I O L I O C C Y O
Y C R A B I W B E B Y A T H L
V M R O B N Y C R I S H T M E
I O I F D D T W T S O M O Q T
K N U K S E F B S N H E C D N
Y H Q N K E N O I T O Q T B A
H H S O C R W T P X I Z D P Q
W T X S X E T K I M R A E B N
O I O D W E C V P H C S X D L
R Y Y M A Z N A T O O C M Z P
Z A B V Q Z L P Q O M O V A Z
K L W M C A P A G A R B E Z G
F D S M R O W H A L E Q T F J
```

IT'S A JOB

BURSAR

CIVIL ENGINEER

COACH

DANCER

DRIVER

ELECTRICIAN

FARRIER

GRAVEDIGGER

JUDGE

LAWYER

MACHINIST

MAID

MIDWIFE

MINER

NANNY

NURSE

PAINTER

PORTER

RANGER

STOCKMAN

TILER

USHER

VICAR

WRITER

```
L H B R G P J X G H X E K F R
Q L R E L E C T R I C I A N X
D W N E A T W R L E Z A L D T
R S R N N A X Z E Y T B O S P
R E S I V O G N E V J R I C R
C J G G F H J F A U I N O E L
N U C N T F I V D M I R G P A
L K B E A W R G B H K G D A W
V B O L D R E E C X I C F I Y
K U U I M I U A H D Z A O N E
N R M V L T M O E S R U N T R
M S M I N E R V K R U A I E S
D A N C E R A C I V N L Q R K
R R I E F R Q E B S E Z N E E
S T U D G E R M V R S O W N R
```

"SWEET ..."

ALMOND

BASIL

BREADS

BRIAR

CHESTNUT

CIDER

CORN

HEART

LIPS

MARJORAM

MEATS

NOTHINGS

ORANGE

PEAS

PICKLE

POTATO

SCENTED

SHERRY

SIXTEEN

SOUNDING

SPOT

TALK

TOOTH

WATER

```
B Q C P C R L U F S W K M L Z
L R N O T H I N G S T A L J E
J Y E T C N V E L Z R A T A V
Q O R A N G E Y K J P F E E T
Y L Z T D F E H O G F R E M R
K R N O P S R R I J E C A O D
P Y R L I S A B T D R F E L E
B Y O E C M Q O I O S N D I T
Q P C K H H P C B R I A R P N
D E C H E S T N U T X A B S E
W N L J S N J T N N T J I P C
X U O K H P U L A B E N L U S
C M A M C D Q R P B E P E A S
U X F T L I G N I D N U O S F
T R A E H A P A C H T O O T C
```

MUSIC TYPES

AMBIENT

BOOGIE-WOOGIE

DANCE

FLAMENCO

FOLK

FUSION

GARAGE

GOSPEL

HEAVY METAL

HYMN

INDIE

JAZZ

JIVE

JUNGLE

LATIN

LULLABY

NONET

PUNK

RAGTIME

SALSA

SOUL

TECHNO

TEEN POP

WALTZ

T	A	A	S	I	F	E	M	I	T	G	A	R	T	L
M	N	O	P	J	G	U	L	N	Y	E	A	M	I	A
Y	U	E	T	C	X	K	S	D	D	A	N	C	E	T
L	J	F	I	L	Y	H	D	I	B	J	S	O	I	E
A	U	I	L	B	X	R	J	E	O	Q	X	N	N	M
T	K	L	V	A	M	X	F	R	D	N	C	K	D	Y
I	G	K	L	E	M	A	F	H	Y	M	N	L	G	V
N	O	I	L	A	O	E	Q	A	T	U	W	O	A	A
G	U	N	U	E	B	W	N	Z	P	Z	A	F	R	E
S	M	M	H	F	P	Y	Y	C	S	A	L	S	A	H
M	Y	G	J	C	C	S	W	D	O	W	H	W	G	J
B	O	O	G	I	E	W	O	O	G	I	E	I	E	H
E	L	G	N	U	J	T	R	G	Z	T	L	A	W	I
V	R	R	Q	T	E	E	N	P	O	P	A	K	W	T
Z	Z	A	J	U	X	T	J	J	L	S	I	L	L	J

BABBLE ON

BALDERDASH

BLAB

BLATHER

BURBLE

CACKLE

CHITCHAT

DROSS

FROTH

FUDGE

GABBLE

GIBBER

GURGLE

HUBBUB

JAW

MURMUR

NONSENSE

PALAVER

PATTER

PRATTLE

STAMMER

STUFF

TRASH

TWADDLE

WAFFLE

```
G I H S A D R E D L A B P H A
U V O W K E N R B L A T H E R
R X M W L X W X F R W F L E K
G A B B N T P M E G L A L L X
L W R K F R O T H T F K J F R
E U V A E I H Q N U C S X F E
B E U H L G P V D A S G V A B
S S G R T R A G C O Y C K W B
T N P U T E E B R B H F E R I
R E M M A T S D B I L L B E G
Z S X R R T O V T L D A U V S
L N H U P A L C R D E W B A T
L O S M W P H C A C N O B L U
Y N T X F A D W S R W Y U A F
N V K O T C T Z H U D Y H P F
```

"J" WORDS

JABBERING

JADED

JAGUAR

JAILOR

JALOUSIE

JAM JAR

JASMINE

JASPER

JAUNDICE

JAWBONE

JEJUNE

JESTER

JETSAM

JEWELS

JEWISH

JOCKEYING

JOINER

JOLTED

JOUSTING

JUDGED

JUGGLER

JUICIEST

JUJUBE

JULIAN

```
J O S O P J G N I Y E K C O J
E Y Y W L Y A K C D V P O J L
M J E T S A M D D E R E J A L
G R E L G G U J E G X N E E J
N N G V I U J Q J D E I S Y M
I M J J A G U A R U C M T J J
R J A W B O N E R J I S E M U
E J Y A E P B V O E D A R T I
B O E I S U O L A J N J K J C
B U I W J J T H A U U I B A I
A S O U E E J S J N A L O M E
J T J Y D L P I V E J I I J S
L I J C N E S W U J E J B A T
C N D O R E Y E J A I L O R N
J G A F J I M J Y Z O A J Q J
```

HARRY POTTER

AVERY

BASIL

BOGROD

BRADLEY

DARK ARTS

DOBBY

FIRENZE

GINNY WEASLEY

GOBLIN

HAGRID

HEDWIG

HERMIONE
GRANGER

HOKEY

MOONDEW

MR BORGIN

MUGGLE

ROWLING

SCABBERS

SECRETS

SLYTHERIN

STONE

TERRY BOOT

TONKS

WIZARD

```
W Y O Y D I R G A H P W M S E
I F E X E O D O R G O B X L Z
Z I J L W L U Z S J V Y G Z T
A R S L S K D T U M T G Z S W
R E I T C A G A E J U Q T Q N
D N S H O K E Y R M Q R W I G
G Z R E A N T W G B A E R I I
N E E B E V E T Y K D E S L W
I Y B G B V I N R N H K Q I D
G O B L I N X A O T N Y N S E
R J A B Y D D O Y O Y I X A H
O J C V O H M L T K D H G B F
B N S T E D S E C R E T S S Z
R E G N A R G E N O I M R E H
M N T E R R Y B O O T P E H U
```

VERY BRAVE

AUDACIOUS

BOLD

BRAZEN

CHEEKY

CHUTZPAH

DARING

DOUGHTY

FEARLESS

FEISTY

GALLANT

GAME

GRITTY

HARDY

HEROIC

INTREPID

MANLY

METTLE

PLUCKY

RESOLUTE

STOICAL

UNAFRAID

UNDAUNTED

VALIANT

VALOROUS

```
D L O B J Y B G M L T C U P Z
C C C M K S J Y E B H G A M E
V P I C P B Z J T U R A A U F
W Y U N D A U N T E D A N M Q
Q L T Q T Z A Z L Y Z A Z L R
P D N T I R P A E D F E D E T
Q A A D I A E A K R O T O T N
Y R L S H R T P A A V U U N J
K I L U H Q G I I H Y L G A B
E N A O F B D M A D E O H I H
E G G R E L A C I O T S T L M
H S U O I C A D U A F E Y A H
C C Y L S H E R O I C R N V F
S L N A T H J F E A R L E S S
K G S V Y U H W J S Y K E B O
```

GULFS

ADEN

AEGINA

ALASKA

ARABIAN

CADIZ

CHIHLI

DARIEN

FETHIYE

FINLAND

GONAVE

IZMIR

KUTCH

MARTABAN

NICOYA

OMAN

PERSIAN

RIGA

SAINT LAWRENCE

SALONIKA

SIAM

SIDRA

ST MALO

SUEZ

VENEZUELA

```
T P W L C Y L Q M X O Q X B H
F Q R I G A F M O S Z W J E C
L A Y S Z E D A T D T O L C T
D T U H T M N I B B G O N N U
X E A H N I M S Z A M A I E K
Z K I L G A W R P U B C G R Z
G Y R E E K I J W A O Q O W W
E F A K W U J B T Y R A N A X
E I N E Y D Z R A I F A A L V
Q N W E M A A E M R A I V T A
M L Z H D M K Z N Y A R E N R
B A R G N A I S R E P R O I D
U N A K I N O L A S V M C A I
Y D A R I E N J O L A M T S S
C H I H L I E P T N A Y M D R
```

NATO MEMBERS

ALBANIA

BELGIUM

CANADA

CROATIA

DENMARK

ESTONIA

FRANCE

GERMANY

GREECE

HUNGARY

ICELAND

ITALY

LATVIA

LITHUANIA

LUXEMBOURG

NORWAY

POLAND

PORTUGAL

ROMANIA

SLOVAKIA

SLOVENIA

SPAIN

TURKEY

UNITED STATES

```
G R U O B M E X U L O X S R Q
D N A L E C I M B U E E N F D
Z X K E G R E E C E T W W F R
K A I K A V O L S A M U I R X
Y L A T I L A I T A O R C A Y
Y E E U N L I S W D P F F N R
U E L T B F D T S C B S A C A
A Q K A D E V L H E A M U E G
I Q N R T X O E L U R N G O N
N I F I U V S G P E A N A Q U
A F N G E T I O G S O N O D H
M U Q N O U L A P R O J I U A
O M I N M A E A W J I E A A V
R A I D N G I A D E N M A R K
F A E D J N Y L A G U T R O P
```

"I" WORDS

IBERIA

IBIS

ICELAND

ICENI

IDEAL

IDLING

IGUANA

ILIAC

IMPAIR

INANE

INCISE

INDOOR

INDUCING

INKWELL

INTERLOCKING

INURE

INVEIGLE

IODINE

IOWAN

IRISH

ISOLATED

ISSUING

ISTHMUS

ITALIAN

```
S I I H W V S R I K E G L P I
U S F S I V G E I T R N I F C
M B I X R I N A N E O I B I F
H L N M I P I I D I O K I V A
T L G L S V N N U I D C S Y N
S I I I H N N A C L N O A D A
I A N O C M I W I I I L I E U
C X E V G E E O N L S R R T G
R J C Z E V L I G I A E E A I
B I I V W I L A S I O T B L W
I D N I I L G S N I S N I O L
A L R V L A U L N D I I R S J
R I A P M I O U E L A E D I M
J N I N N V R Q T N I Z J O N
I G Y G D E C I L L E W K N I
```

BREAD

BAGEL

BAKER

BOARD

BRIOCHE

BROWN

CROUTON

CRUSTY

DOUGH

FLOUR

FRENCH

GARLIC

KNEAD

MILLER

NAAN

OVEN

PUMPERNICKEL

RISING

ROLLS

RYE

SAUCE

STICK

TOAST

WHITE

YEAST

```
U O B P A H C R K A B S R R C
R F R P C B R I O C H E C T A
N T U N F E M S L D R S U O M
T T E F T S X I E R T K N A X
N R D I L B Z N K I A A X S Y
F W H L O O M G C M A G N T Y
H W O A U S U K I N F O M S F
O R R R M N T R N E Q J V A X
Z D B M B Y U D R C E W D E A
X M A B N G N R E U N Y N Y N
H G G I A D S G P A T K I S Y
D A E N K K K V M S O N O Y A
R E L L I M E F U D O U G H R
C R O U T O N R P Z B M S E Y
E D J K B T C X J F T V B A E
```

SHARKS

ANGEL

BASKING

BEAGLE

BRAMBLE

CARPET

DOGFISH

DUSKY

EPAULETTE

FRILLED

GHOST

GOBLIN

GREY REEF

HAMMERHEAD

LEMON

LEOPARD

MACKEREL

NIGHT

NURSE

PRICKLY

REQUIEM

THRESHER

TIGER

WHITETIP

ZEBRA

```
K D L L Z P N E B I P E M D L
R R X E D Y P B A S K I N G E
E A I W L A C D K W V Z R X R
H P Q D B G E B W K V A N P E
S O Q C N L A H D G L V U R K
E E Y T L U I E R U M H R I C
R L E I B T V E B E S I S C A
H P R E E X Y K I I M K E K M
T F J T X R D U F B T M Y L U
M T I G E R Q G R S D Y A Y F
N P A E F E O A O D X Y H H E
I O F R R D M H T A N I G H T
W S M Z B B G Q T E P R A C C
A N G E L E P A U L E T T E V
F S B E L B Z T G O B L I N G
```

WORDS READING EITHER WAY

ANIMAL

DENIER

DENIM

DESSERTS

DEVIL

DRAWER

FIRES

GATEMAN

GULP

KEELS

KNITS

LEVER

LOOTER

PACER

PARTS

PEELS

POOLS

REBUT

REPAID

SMART

SNAPS

SNOOPS

SPORTS

STRAW

```
R F V C E L W K Q I T U B E R
P D Y Q S G J T N S A D S E E
O B E S S L S P N I I Q S Z C
O V G N S L E L F A T J N O A
L O W A I M E E T I J S O G P
S R A P T M A E K S R L O W V
V D R S U E R R P J K E P C C
G E T V Z B M O T H M Q S D K
V S S N F D R A W E R T G I B
R S S D A T O L N K S D K A Y
E E T X S O A L I Q G O S P S
T R R Q Z M I D H U L E V E R
O T A N I V H D L B F G I R D
O S P N E W P P Y J K H P K N
L Q A D G K D E N I E R I W Y
```

PLUMBING

BATHROOM

BEND

BIDET

BOILER

ELBOW

FAUCET

FLOAT

FLUX

FORCE

LEAKS

O-RING

PIPE-LAYING

PLUG

PUMP

RADIATOR

SINK

SOLDER

TANK

THREAD

TRAP

VALVE

WASHER

WASTE

WATER

T	X	O	Y	U	J	F	W	M	E	X	Q	G	G	R
E	L	B	O	W	X	Z	S	A	C	M	T	H	R	E
D	S	L	X	Z	E	A	D	U	S	Z	O	W	S	L
I	O	U	T	E	C	R	O	F	O	T	A	F	T	I
B	L	T	K	G	R	P	A	M	P	T	E	A	I	O
F	D	U	B	M	N	O	S	C	E	H	I	U	Q	B
N	E	Q	A	R	F	I	T	R	D	R	B	C	D	S
J	R	U	T	E	Q	I	Y	A	Y	E	V	E	A	F
M	F	T	H	H	K	N	D	A	I	A	P	T	N	I
F	T	Z	R	S	I	N	K	L	L	D	E	L	M	D
L	S	Q	O	A	K	C	E	V	K	E	A	O	U	D
O	M	L	O	W	P	A	E	L	N	E	P	R	X	G
A	Q	Q	M	C	K	M	D	K	A	A	H	I	S	F
T	F	C	X	S	L	Z	U	D	T	I	K	N	P	F
I	Z	M	O	Q	G	U	R	P	J	Y	A	G	B	F

GASES

ARGON

BUTANE

CHLOROFORM

CHOKEDAMP

COAL GAS

CYANOGEN

ETHER

ETHYLENE

FLUORINE

HALON

HELIUM

HYDROGEN

KETENE

KRYPTON

METHANE

NEON

NITROGEN

NITROUS OXIDE

OXYGEN

OZONE

PHOSGENE

PROPANE

RADON

XENON

```
E D I X O S U O R T I N E N N
O J W N N N O T P Y R K N O P
X I P J N H X O U O E I G Q R
Y R K H A L E M X T T R P Q O
G Z Q L W T E Y E R A E W I P
D R O C H T G N O D X J S M A
O N X E H E E G O F T R A I N
F T R A N L E N E N Q D G K E
C L N Q Y N O C R N E N L D E
M E U H I M M R A K E X A N B
H Q T O E F Z N O O Q Z O Q U
N E G O R D Y H N F Z Z C Q T
Y L K V X I C Y A N O G E N A
M U I L E H N B C H C R W K N
P H O S G E N E I N X M M V E
```

UNIVERSITIES OF THE WORLD

BOLOGNA

BONN

BREMEN

BRUNEL

CORNELL

DUBLIN

EDINBURGH

HARVARD

HEIDELBERG

IRELAND

LEEDS

LEIPZIG

LILLE

MANCHESTER

OXFORD

PADUA

PORTO

READING

TORONTO

TUBINGEN

TWENTE

UTRECHT

WARWICK

ZURICH

```
L E Q A N G O L O B Q L N A T
J L O M D S S T N T O N U G U
S D E E L W N E V U O D K R B
R Y B N L O M D G B A U D E I
E C S I R E R N L P V N C B N
T F L O R O I E Z X A A M L G
S L T B F L C F A L L E X E E
E C I X B P N N E D B L N D N
H G O U O N X R P X I E I I K
C O D R L E I P Z I G N B E C
N E T N E W T G K Z B U G H I
A O D T H C E R T U L R L N W
M X V M F C Z L R U P B W G R
C D F L J C W G W O S G Y C A
H C I R U Z H A R V A R D X W
```

HAUNTED MANSION

APPARITION

ATMOSPHERE

BANSHEE

CLANKING

COBWEBS

CURSE

ECTOPLASM

FEARS

FLASHLIGHT

FLOORBOARDS

GHOST

MAD PROFESSOR

MYSTERY

NOISES

PORTRAIT

SCARED

SCREAMS

SHADOWS

SPECTRAL

SPELL

TERROR

TURN WHITE

VAMPIRE

WAILING

```
D V P G P O R T R A I T D W S
E A F G N I K N A L C K C E M
R M F Y R E T S Y M F R T S A
E P L Z N O I S E S O E G R E
H I O E S A P S C S R F N U R
P R O K H E U A S R L L O C C
S E R H L V R E O E Y A I E S
O W B L F E F R N L L S T C P
M Z O E D O T U R N W H I T E
T M A D R D Y M N B A L R O C
A R R P A V I E I H I I A P T
S L D K X H A T Z H L G P L R
U A S B A N S H E E I H P A A
M C O B W E B S P E N T A S L
A B Y Q G J T S O H G U B M P
```

PLACES IN WALES

ABERGELE

CARMARTHEN

CEREDIGION

CONWY

DENBIGH

DOLYDD

FLINT

KENFIG

LLANBERIS

MAERDY

MAESTEG

METHLEM

MORFA

NEATH

NEBO

NEFYN

NEWTOWN

PLWMP

POWYS

PYLE

RHYL

SWANSEA

TENBY

TREFOR

```
E N E H T R A M R A C X H S W
N F Y Y X H D S L Z S N T W O
Y H L W X H X Y M G Y K A A D
F S A I N S D W I E J B E N D
E V D W N O D O G R T R N S J
N C R J P T C P G C A H K E O
K N W O T W E N S K O H L A T
M K E N F I G I C V D G R E E
A U U L C E R E D I G I O N M
E T A A B E R G E L E B D P A
S M C M B R G T J U H N O L E
T C O N D D Y R F E N E L W R
E H A R O R F A H E L D Y M D
G L U L F O G Q B Y F C D P Y
L X W A Q A Q O P J L A D T P
```

AMUSING

ABSORBING

BEGUILING

CHARMING

CHEERING

COMICAL

DIVERTING

DROLL

ENGAGING

ENTERTAINING

FUNNY

HILARIOUS

HUMOROUS

JOCULAR

JOLLY

LAUGHABLE

LIVELY

MERRY

MIRTHFUL

PLAYING

PLEASING

RECREATIONAL

RELAXING

WAGGISH

WITTY

```
R Y T T I W G N I B R O S B A
G L P L E A S I N G Q Z G O E
G R A B M I R T H F U L N Q Q
N A H U M O R O U S L E I Q G
I L G P G B Y N U T A R L N N
T U T N C H E E R I N G I K I
R C O M I C A L Y H O N U C G
E O E Y M X U B I E I T G H A
V J H E L X A L L A T Y E A G
I R R S O E A L T E A N B R N
D R A I I R V R E S E N D M E
Y V P H I G E I H R R U R I I
Y L L O J T G E L L C F O N N
K R U G N I Y A L P E N L G G
E S L E L Y I B W B R Y L N D
```

VERBS

ADHERE

ATTACK

BLINK

BREAK

BUILD

CAPITULATE

CULTIVATE

DRIVE

EXHALE

GRAZE

HUDDLE

HURRY

LISTEN

MARCH

OBLITERATE

OBSERVE

RECITE

REDUCE

REJOICE

SECRETE

SHADOW

TESTIFY

UNRAVEL

YEARN

```
E I N F W T U X X O Q B K R H
F V R E J O I C E E V M N P C
J F I E P B D Y Z E O Y I I J
R S V R D O I A T C B C L B U
T Y T C D U B I H K S Y B N H
E G Y E E E C L A S E E R I C
S K N X T E O E I T R A U F R
T F C H R A R I A T V R Z Q A
I V R A U B L V A E E N S E M
F H M L T D I U L D E R Y P E
Y Z A E I T D H T L H R A Z K
K K I K L S A L X I R E A T U
F H P U H B T C E U P R R H E
S E C R E T E E H B G A Y E C
Y Z N M Q F Y F N E Q S C J R
```

"Q" WORDS

QATAR

QUACK

QUAFFING

QUAGMIRE

QUAILED

QUAKER

QUALITY

QUARANTINING

QUASH

QUAYSIDE

QUEASY

QUEEN

QUELLING

```
Q W U K O Q Q U E L L I N G G
N U U C U Q A L Q U I L T R N
L O R A P Q U I N T E T W E I
Q U S U Q E R I M G A U Q V N
A H I Q U E N C H D U A Q L I
T Y Q U I R K Y Q U Q A J I T
A S N R Z Y S Q N I O U Q S N
R A O E Z O T M U Q N S I K A
Q E I N I E T I U I B E I C R
E U T E N U F A L L B T E I A
U Q S T G Q K H X A G B B U U
Q N E E S E Y A Q B U K L Q Q
V K U I R D E L I A U Q G E B
O Q Q U G N I F F A U Q Q Q Y
Q U P Q U A Y S I D E I T U Q
```

QUENCH

QUESTION

QUEUE

QUIBBLE

QUICKSILVER

QUIETEN

QUILT

QUINTET

QUIRKY

QUIZZING

QUOIN

ADVANCE

AUGMENT

BENEFIT

BETTER

DEVELOP

EXALT

GROW UP

IMPROVE

MAKE HEADWAY

MARCH

MOVE ALONG

PROCEED

PROMOTE

PROPEL

PROSPER

RAISE

SEND

SHIFT

SHOVE

STEP UP

STRENGTHEN

SURGE

THRIVE

UPGRADE

WALK ON

```
I D E F I I M P R O V E E B M
D A E S F A I U T N K I D V O
H G E E I R E P S O R P A G V
L N R B C A A E N K S U R G E
D E H O H O R T D L X Y G P A
V D V E W C R S I A A W P E L
M E A O L U R P H W A W U T O
G B V B H E P A D I J S R O N
A B C I E S P A M E F H A M G
U T E O R T E O K X V T D O Q
G T L N M H T C R Y Z E E R Q
M U W A E D T E Q P S Q L P R
E J B K X F R P R N S K G O Q
N Y A U D E I Q B Z B O V Y P
T M S R N E H T G N E R T S O
```

"ANIMAL FARM"

ANIMALS

BENJAMIN

BOXER

CLOVER

COWSHED

DOGS

FOXWOOD

HORSES

HUMANS

JESSIE

MANOR FARM

MINIMUS

MOLLIE

MOSES

MR JONES

MR WHYMPER

MURIEL

NAPOLEON

OLD MAJOR

PIGS

PINCHFIELD

PINKEYE

SNOWBALL

WINDMILL

```
O E J E B D S K G T S B L D W
T E T I F Q L R Q F E O E R I
R H V L U W O E E A S X I H N
Q E M L B J T M I Z R E R U D
L K P O A X W E S F O R U M M
A N I M A L S P S Y H M M A I
S V D P Y Q Z I E E A C J N L
N L A S I H K G J N S F N S L
O Z S E Q N W S O C X O C I U
W I U N V P K R C L D X M Q P
B D M O C Q F E M O Y W L V Z
A F I J G A Z Y Y V V O D S V
L E N R R L J N O E L O P A N
L N I M A J N E B R G D H Z B
R K M I C X D E H S W O C T S
```

HOW VERY COMMON

AVERAGE

BANAL

CONVENTIONAL

CUSTOMARY

DAILY

EVERYDAY

GLOBAL

HUMDRUM

INSIGNIFICANT

MUNDANE

NORMAL

PANDEMIC

PLAIN

```
L L I M E H T F O N U R N I G
F H U M D R U M X N D S O T Q
K J F A B A V I I V F T R N S
G T I H H K L V E M Q A M A E
Q L G Y C N E N A R G N A C P
Y L Y O I R I I A V S D L I Y
P O T A S T B L Z I E A R F T
R S L A U S U B M P B R I I O
O P L O O G P P A O D D A N E
S J R G E G L I L N K N E G R
A P O R E E X G Z P A K T I E
I N T C I M E D N A P L I S T
C U S T O M A R Y X D K R N S
C O N V E N T I O N A L T I J
M U N D A N E V E R Y D A Y X
```

PROSAIC

REGULAR

ROUTINE

RUN OF THE MILL

SIMPLE

STANDARD

STEREOTYPE

STOCK

TRITE

UNIVERSAL

USUAL

WARM WORDS

BALMY

BLANKET

COAL

COVER

EIDERDOWN

FEVERISH

FLUSHED

GAS

GENIAL

GLOWING

HEAT WAVE

HEATING

INSULATE

KEROSENE

LUKEWARM

OVEN

PARAFFIN

PASSION

RADIATE

SULTRY

SUNNY

TEMPERATE

TEPID

WRAPPED UP

```
A O S C K W E Y Z O E Q H K E
W S R L N R N T N V N S Y E X
M P N N T W M G A N I A I R L
D B A L M Y O W L R U L T O A
G E E R E A T D E O E S M S I
M L H U A A O V R T W P L E N
E R E S E F E T A E X I M N E
X N A H U F F L H B D O N E G
S O T W D L U I L L I I A G T
U I I G E S F L N A E V E N C
L S N H N K S A G N N Z C O O
T S G I K Z U Y X K V E A C V
R A D I A T E L A E V L V D E
Y P D I P E T O V T L O L O R
K I L Q R W R A P P E D U P K
```

HERBAL REMEDIES

BASIL

BORAGE

CHAMOMILE

CRANBERRY

DANDELION

GINGER

GINKGO

GINSENG

GOLDENROD

HEARTSEASE

HEMLOCK

LOVAGE

ORRIS

OX-EYE DAISY

PARSLEY

PURSLANE

ROSEMARY

SELF-HEAL

SENNA

SORREL

SUNDEW

SUNFLOWER

WHITE POPPY

YELLOW DOCK

```
N Y K O E Y P U R S L A N E U
W S S K N S P L H G X R Z H Q
E E Z I C E A P N G I N G E R
G N D M A E L E O D S M X M L
A N Y N H D S I S P Q M T L I
V A W F U N E U M T E U E O S
O Y L M I S L Y N O R T P C A
L E R G T E X Q E F M A I K B
S F P A R S L E Y X L A E H I
B V V R M G I N K G O O H H W
O N O I L E D N A D W O W C O
R S J F P T S W D K Q Q D E R
A V K C O D W O L L E Y D C R
G Y R R E B N A R C F Y A A I
E D O R N E D L O G T Q U M S
```

CHINA

ANSHUN

BEIJING

CHANGCHUN

DATONG

HANDAN

HEFEI

HENAN

HESHAN

HSINCHU

HUNAN

JIUJIANG

KUNMING

LINFEN

LONGYAN

LOUDI

NINGBO

QINGDAO

QUANZHOU

SHAOYANG

WEIHAI

XIAMEN

YINGTAN

YUNFU

ZIBO

```
N O B B R A E J I I A H I E W
U U L M G L I J N X Q G R M E
H W O T E U T T E G E N H Q X
S G N H J R I E F E H A S H I
N D O I Z O I O N M E Y I E A
A Q A Y I N L I I N N O N S M
Y N D T B H A O L A A A C H E
G U G N O A Q U N T N H H A N
N T N S C N I G Q G A S U N L
I E I F C D G N N N Y R J U C
J O Q Q U A I J G I W A A Z H
I X G O I N O C T Y M W N M U
E V L D G D H B S B T N V R N
B P M B X U Y H M Y S I U T A
U F O J N Y S R D D Y Q D K N
```

"BACK" AT THE FRONT

BACK AWAY

BACK BRACE

BACK CHANNEL

BACK DOOR

BACK DOWN

BACK ENTRANCE

BACK EXERCISE

BACK NUMBER

BACK OFF

BACK OUT

BACK TALK

BACK YARD

BACKBITE

```
D E R E K C A P K C A B B A C
N S L A G N O M M A G K C A B
E I E B A C K R E S T N I R B
K C N F F O K C A B W C E E A
C R N B A C K D O O R B C B C
A E A B B A R A D Z M N A A K
B X H A G A P K B U A C T C S
B E C C Y S C A N R K C H K L
A K K K B A C K T A L K G T A
C C C S B K C N K B A C I U P
K A A A A A E I B A C K L O G
B B B W B K B A C K U P K K K
I A A E C A R B K C A B C C C
T Y R A D N A H K C A B A A A
E C B A C K G R O U N D B B B
```

BACK-END

BACKGAMMON

BACKGROUND

BACKHAND

BACKLIGHT

BACKLOG

BACKPACKER

BACKREST

BACKSAW

BACKSLAP

BACK-UP

"P" WORDS

PANTRY

PAPAYA

PAPERS

PATTER

PEKING

PELLET

PEWTER

PHOBIA

PHOEBE

PIECES

PLUTO

POLYTHENE

POM-POM

PONCHO

POTASH

PRAWN

PROMPTLY

PSALM

PUDDLE

PULPIT

PULSAR

PUNJAB

PURGING

PYRAMID

```
P L F E C O O H C N O P D Y P
T G N I G R U P O M P O M R S
H S A T O P H P W H P L U T O
O I P U L S A R O P S Y A N K
P E T P B P R B E P I T Y A H
O P Y R A M I D G N R H L P E
Y V I Y J A U T H P Y E T N P
F X A Z N P N W A R P N P S S
P R H Y U P S P Z S U E M P A
P D P D P B A N A B W Y O E L
H E D U Y O P P G T J B R L M
O L K Z L Y A C E T T U P L M
E O N I V P D R M R K E L E I
B S E Y N P I E C E S X R T I
E P E O P G Z T L P D Y V N P
```

WEIGHTY

BALANCE

BALLAST

BULKY

BURDEN

CRUSHING

FORCE

GRAVITY

HEAVY

HEFTY

KILOGRAM

LIFT

LOAD

MASSIVE

OUNCE

POUND

PRESSURE

SCALES

SOLID

STONE

SUBSTANTIAL

SUPPORT

TONS

UNWIELDY

WEIGHTINESS

```
T I F K O N Z D S N G A S S E
R O Q Z Z L S Z I K D E Z O C
O W D I V T Y S A L W R E Y N
P E C R O F N A B B O U H V A
P W I N K O P Y A V H S E A L
U M E E T B U L K Y G S F E A
S M A R G O L I K A D E T H B
N P X S H A C L O A N R Y U C
E S F E S T Y E O X B P L N R
D C H T W I J L T A V I D W U
R A N Y T I V A R G F I N I S
U L M U L S Q E Q T W W U E H
B E D O O X W R J Q E N O L I
B S U B S T A N T I A L P D N
S S E N I T H G I E W V W Y G
```

LET'S ESCAPE

AVOID

BAIL OUT

BREAK

DEFECT

DISAPPEAR

DODGE

ELOPE

ELUDE

EVADE

EXHAUST

GET AWAY

HIGHTAIL IT

JUMP

```
P E Z K X T I L I A T H G I H
L E L U D E Q E P O L E S O L
A Y X D T A E R T E R C F G D
Y A E H D F O J W L A H B A I
T W T F A A F P H R E U B H R
R A R C J U D O P K Q G I K R
U T S A E Q S E N J W F I Z Q
A E N S E F R T K U I F L T Y
N G E S B P E K H S R O S N K
T D A C L A P D Q V I E E A A
A O K A E K I A V H S K I V E
V D O T M V T L S J E A O Y R
O U F T V Z A A O I U T U H B
I J F E L Q E D R U D M A J Z
D M Z R A S I D E S T E P Z W
```

LEG IT

PLAY TRUANT

RETREAT

RUN OFF

SCARPER

SCATTER

SIDESTEP

SKEDADDLE

SKIVE

SNEAK OFF

TAKE OFF

ASIAN COUNTRIES

BHUTAN

BRUNEI

BURMA

CHINA

EAST TIMOR

INDIA

INDONESIA

IRAN

IRAQ

JAPAN

JORDAN

KUWAIT

LAOS

MALDIVES

MONGOLIA

NEPAL

OMAN

QATAR

RUSSIA

SRI LANKA

SYRIA

TAIWAN

THAILAND

YEMEN

```
E K A D T V L D R T P L A O S
S Q T E J A I L O G N O M J L
S A R D C W U O N E K L C V F
E B R U N E I A P K U L W Z N
V N Y O F N T A S U J A P A N
I E E D Q U L X R W E K W A R
D I B M H N B C L A J I D A C
L N U B E R U S S I A R T C C
A D R Q G Y A T R T O A H A F
M O M A N I T Q I J Q I H B N
L N A L R I A X L U N D W A S
T E M Y M R H C A A R N R L Z
D S S O I O F D N A L I A H T
E I R T Q A O G K S N E P P M
S A C K S W X H A S B D Z O W
```

TRADEMARKS

BAND-AID

CATERPILLAR

COKE

DICTAPHONE

EUROSTAR

FORMICA

GORTEX

HARRIS TWEED

IPOD

LEGO

LUGER

LYCRA

PYREX

QUORN

SNO-CAT

SPAM

STELLITE

STYROFOAM

TANNOY

TARMAC

TEFLON

THERMOS

TUMS

VIYELLA

```
D L L L B U G X E T R O G Z X
E O Y C C S I E A S N I W W C
E G A O M D I C T A P H O N E
W O K U N Y O E U R O S T A R
T E T U X N L U G L R S C N S
S M A P S L A S Q W U I K T U
I P O D I K N T D A Q G Y P R
R C A T E R P I L L A R E T A
R E E N O X A L S M O Q E R C
A T R U E D E T F F J F Z E I
H W Q R N Y A W O U L G V G M
G Z Y A I R U A Z O Y E U H R
N P B V M E M H N W C J Z Z O
F G X A U R K T H E R M O S F
V B C Z D O G E L B A S V R F
```

STATE CAPITALS OF THE USA

ALBANY

AUGUSTA

AUSTIN

BOISE

BOSTON

CONCORD

DENVER

DOVER

FRANKFORT

HARTFORD

HELENA

JUNEAU

LANSING

LINCOLN

PHOENIX

PIERRE

RALEIGH

SALEM

SALT LAKE CITY

SANTA FE

SPRINGFIELD

ST PAUL

TOPEKA

TRENTON

```
C E D L E I F G N I R P S M Q
O S Y N D R N I T S U A C A Y
N J Y O E U U C Z K G H Y T N
C X V T N C F U A J N T R S A
O E D S V S G K F C I W Q U B
R D S O E T E Y I C S H O G L
D N S B R P S Y E R N A G U A
A C O R O A K K W E A R N A H
V N F T N U A T R X L T L I W
J P E T N L F R A N K F O R T
U B A L T E E J L E J O C W Z
N F O L E I R B E L H R N O J
E F A I P H B T I R T D I Q P
A S T M S G D A G Y M E L A S
U G C R Z E F P H O E N I X N
```

COUGHS AND SNEEZES

ALLERGY

ASTHMA

CATARRH

CHILL

COLD

CORYZA

COUGH MIXTURE

DUST

HACKING

HAY FEVER

HEADACHE

INFLUENZA

LOZENGES

MEDICINE

POLLEN

RED NOSE

RHINITIS

SMOKE

SYRUP

TISSUES

TROCHE

TUSSIS

VIRUS

WHEEZING

```
B C S U S E G N E Z O L I T E
D L O U E K H L V Y L Y O S A
H L S R R E H C A D A E H U S
E T O H Y I X B O E B H O D F
Q I G C E Z V Y G R E L L A P
R S N C N A A A N U T H U U N
I S I A I X L M T T S T R N K
N U Z T C L B H U X R Y W W L
F E E A I W J T S I S P W L R
L S E R D N M S S M H D I B E
U A H R E U I A I H X H I G D
E Y W H M U D H S G C G F B N
N F P O L L E N R U C P S Z O
Z H A Y F E V E R O E K O M S
A L F X G G N I K C A H K D E
```

TRAIN RIDE

ANNOUNCEMENT

ARRIVAL

BUFFET

CATERING

CONDUCTOR

DESTINATION

DOORS

DRIVER

EXPRESS

FARES

HEADREST

JOURNEY

LUGGAGE

OFF-PEAK

RAILS

ROUTE

SEATS

SERVICE

TICKET

TRACKS

TRAVEL

WHEELS

WHISTLE

WINDOW

```
E Q A D B B J Z H W J B F K S
Q T R U S D C G T O O Q Z T L
E N L O R S A R U I S D E F I
T E A I T F E R O E C F N S A
S M V X Z C N R R C F K E I R
E E I E A E U V P U K A E Q W
R C R G Y A I D B X T P K T H
D N R A F C W V N S E R A F I
A U A G E Q X S R O O D E B S
E O Y G T L N T L P C S P W T
H N A U U H E R K E K B F F L
F N Z L O E S V P C E N F E E
C A T E R I N G A V R H O D W
F N K G O C N R M R M R W U V
U O Z N O I T A N I T S E D K
```

IN THE PAST

ANCIENT

ANTIQUITY

ARCHAIC

AULD LANG SYNE

BYGONE

DAYS OF OLD

DEPARTED

EARLIER

FORMERLY

HAS-BEEN

HERETOFORE

HISTORY

OBSOLETE

```
Y I A Y Q T C I A H C R A O M
A P U R O V E R W I T H G O E
D L L O B K G D U F M A T N P
R B D T Z N L E O A S R E E H
E H L S W N T R D R O F R H M
T B A I R E M N A I L V O W G
S H N H L E O E R H D U F K D
E A G O R U Y P P E T O O C E
Y S S L Q R T R F W I F T A P
X B Y G O N E H O C M L E B A
O E N I E V Z R V K E O R Y R
E E E I I R N G T E S I E A T
Q N C O U T O F D A T E H W E
I N U N B D A Y S O F O L D D
A S A N T I Q U I T Y N A D V
```

OLD TIMES

OUT-OF-DATE

OUTWORN

OVER WITH

PREVIOUS

PRIOR TO

QUONDAM

WAY BACK WHEN

YEARS AGO

YESTERDAY

YORE

"OLD ..." AND "NEW ..."

BAILEY

BEAN

BIDDY

BLOOD

BOY

CHAP

COMER

DELHI

ENGLAND

FASHIONED

FOOL

FOUND

GOLD

GUARD

HAND

IDEAS

MAID

MOON

MOWN

NICK

ORLEANS

STYLE

WIVES' TALE

WORLD

```
Y V N E G U S T K O K Z B X R
D K W F A S H I O N E D M N Z
P I O S A T G D A M I M D P S
R E M O C F O U N D N C A W A
I V A N I Q M U A A U X K I E
W C A R G X X T F R J K D V D
E K J E L Y T S I X D M N E I
D N A L G N E N R N D C A S H
D L R O W Z T L I J O S H T G
O R L E A N S V I H O D B A M
T E Q L F J O T A A L M I L P
Q G U O I X V S L K B E D E F
N O O M R S J L W E B D D I V
V L C O A L A B A H I O Y C L
M D V I S K A N A S A U Y I F
```

THINGS THAT CAN BE DRIVEN

AMBITION

AUTOMOBILE

BARGAIN

CARRIAGE

CATTLE

COACH

DESIRE

ENGINE

GOLF BALL

IRON NAIL

MOTOR CAR

NAILS

OMNIBUS

OXEN

PRINTER

REFORM

SHEEP

SNOW

STAKE

TRACTOR

TRAIN

TRUCK

VEHICLE

WEDGE

```
G T J S E K A T S O R S E K H
R E N H F U V E A E U L F R R
C O D E B G G W T B T J C P E
W X E E J A E N I T R A I N E
R E S P I D I N A A L D N N E
K A I R G R M C C L V N O E L
A B R E P O G R A J E I I X I
B A E F U F O B G C H A T O B
C U T O W T F D O K I G I J O
U E R R O L E A C Q C R B N M
P O N M O R C U O J L A M A O
U G E G R H R Z K W E B A I T
P N H E I T R F O W J B X L U
B X I R O N N A I L W O H S A
N P K X S O E T R A C T O R Q
```

ANGER

ANTAGONISM

BOTHER

BUG

DISPLEASE

ENRAGE

FITS

FURORE

FURY

GALL

GET AT

INCENSE

IRK

IRRITATE

MIFF

NETTLE

OFFEND

PIQUE

QUARREL

RILE

ROUSE

RUFFLE

TANTRUM

VEX

WIND UP

```
R M A E S O M T D D O W T K T
E T U O R E N E S N E C N I D
H J A R T O G Y Q S V T I I Q
T Q G N T J R A B M R W S X U
O A T G T N C U R O I P T Z A
B F T B A A A N F N L F I X R
R U Z E B L G T E E R F V R
O F T U G J L O A T R J D F E
F S G G X E V S N I T K V T L
F N X W N G E S T I P L R W A
E A M W I J G A R Z S U E I S
N U L G S N T H A O F M F M F
D P Q J V E D D A F U Y B U U
U A N I B T R U L I B S R Z R
E U V A P D O E P K S Y E S E
```

FAMOUS GOLFERS

ARMOUR

AZINGER

BALLESTEROS

BOLT

BRAID

CALCAVECCHIA

DALY

ELKINGTON

ENGELHORN

FURYK

GRAHAM

HAGEN

HANSON

IRWIN

JONES

LYLE

MILLER

NAGLE

PICARD

PRICE

RUNYAN

SNEAD

WATSON

WEIR

```
K G M H E P Q R B N D Y R F W
Y N X L O A E R H R M M E Q O
A C F Y U L A B Q O A M C X E
U I I P L I X E N H R X I S L
H W H I D B U E A L M V R O K
Y F M C G T G R M E O R P R I
W L T A C A G I S G U T N E N
Z E A R H E X E L N R R N T G
E P B D A A V W Y E E O L S T
F L B N N Z D A Z B S A Z E O
U D Y I S I N Q C T O K D L N
R S F L O N R A A L E L C L N
Y V Z R N G L W G M A N T A N
K Q M V M E F E I L A C F B F
A Z R V O R K J O N E S M T P
```

CLIMBING

ALPINIST

APEX

ASCENT

BELAY

CLEFT

CLIFF

CLIMBER

CRAGS

CREST

ELEVATION

FACE

FLAG

FOOTHILLS

GUIDE

HEIGHT

LEDGE

PITON

RIDGE

ROCKS

ROPES

SLOPE

SPORT

SUMMIT

VERTICAL

```
Y E R T E T G J P Z H X R C R
A U H T N C I G C R O P E S Z
K A L F D E A M V C C K B N Z
A L A E Y D C F M X W L M T V
H P C L J I Z S H U A K I E C
K I I C C U T F A G S B L F O
S N T T S G R I D G E E C T F
L I R R O L L E W D V L N Z G
J S E V O N L F X A B A B A S
A T V R S P P I T H U Y L K G
X S S A B L S I H S E F M O A
X B K A R J O Z E T E I S I R
I N Y C P N W P T Y O R G M C
C S G O O E M T E F D O C H G
M M F J A R X E G D E L F C T
```

JUST PERFECT

ABSOLUTE

ACCURATE

COMPLETE

CORRECT

ENTIRE

EXACT

EXCELLENT

EXPERT

FAITHFUL

IDEAL

IMMACULATE

IMPECCABLE

MODEL

PEERLESS

POLISHED

PRECISE

PURE

SHEER

SUPERB

TEXTBOOK

THOROUGH

ULTIMATE

UNMARRED

WONDERFUL

```
W O N D E R F U L R F Q D H T
L E T A R U C C A E T Y O Q N
E A L E L B A C C E P M I E E
T B S H G U O R O H T S E I L
A S L M O R E X H S C U S D L
L O Z U R C P T S T U P I E E
U L U E F U Y S E N Z E C A C
C U C T R H E X M L N R E L X
A T V E O L T A A T P B R E E
M E X L R B R I I M Q M P X A
M L I E O R W R A C N R O A W
I J E O E T E S D F L M M C V
T P K D U E T A M I T L U T H
I Z V P O L I S H E D S Z R G
J H K F T M K V T R E P X E E
```

FIVE-LETTER WORDS

ANODE

BLEAT

DUSTY

ENTER

IDIOM

INSET

JOKER

KIOSK

LEAST

LUNAR

MUSIC

NYLON

PARIS

```
R A T L U N A R T N X U M R C
E N O H P T L A O I P H O E G
U O G D E X Y G J B Q N I T A
T D N S F J H C N I W E D N S
H E N O O M J U P A D I I E Z
I I P K L B X X G D D U P L E
R W E A R Y B O D N S T O H C
D R T E T T N N U U H B Y Z I
L H K P T L Q U A V P T E E S
Z G G A J U E L T D K I E U U
T P E O A A U R D S H L T T M
O L A I N V I T O X A O E G V
B U L R J G T I I X L E E E X
O M N P I E K D O F E Q L T I
R B F D U S T Y I E H M J Q Y
```

PHONE	THIRD	WAGON
QUAIL	UNDID	WEARY
RIGID	USUAL	WINCH
ROBOT	VAULT	

THOSE WHO WRITE

AUTHOR

CHRONICLER

CLERK

COPYWRITER

CRITIC

DIARIST

DOCTOR

DRAMATIST

EDITOR

ESSAYIST

GHOSTWRITER

HISTORIAN

JUDGE

MINISTER

PLAYWRIGHT

POET

REPORTER

REVIEWER

SATIRIST

SCRIBE

SIGNWRITER

TEACHER

TRANSLATOR

WAITRESS

```
T A W B R X Y Q R U E X T X R
S C L R E E B O T U C S R T E
I J H E T E T N U I S K A E T
R U I R R C X I T E A E N A I
A X S M O T S I R I T A S C R
I D T D P N R T T W U L L H W
D R O M E C I S R R T Y A E N
R E R I R A I C O O M S T R G
A W I N W Y R F L F T V O P I
M E A I A S O T W E N I R H S
A I N S H Y H K K G R B D W G
T V S T R E T O S C R I B E R
I E A E G D U J P U C L E R K
S R O R P L A Y W R I G H T V
T C O P Y W R I T E R Z X H Z
```

ENDANGERED SPECIES

ADDAX

AKEKEE

ASPRETE

AYE-AYE

BANTENG

BASKING SHARK

BUSH DOG

BUZZING FROG

CONDOR

DUGONG

ELEPHANT

HADDOCK

HIROLA

INCA TERN

JAGUAR

KOMODO DRAGON

LEMUR

MANATEE

MARGAY

OKAPI

ORANG-UTAN

ORYX

PACARANA

TIGER

```
X E T N A H P E L E V V Y R Z
A B E K A V R Z E C W C A O C
D J D X R U I K P G Y G G D U
D U S A M A E O N T O V R N K
A X M E E K H O A D I E A O G
S Q L A A T G S H L Y G M C N
N V R N N U E S G A O O E O E
A C O A D A U R E N D R X R T
T P D R H B T Y P O I D I Z N
U N D A Y M A E D S K K O H A
G F M C J X R R E Z A A S C B
N L R A C J A G U A R N P A K
A Z T P T G N R E T A C N I B
R N S G O R F G N I Z Z U B H
O B V N L E Y O S W H B Q U W
```

"R" WORDS

RADIAL

RAJAH

RALLY

RANDOM

RASHER

RAZOR

REAPER

RECKONING

REELING

REFRIGERATOR

REHEATED

RESTITUTION

RETIRE

RHYTHM

RIBALD

RIDGE

RIFLE

RINGMASTER

RIOTOUS

RIVET

RIVIERA

ROBERTA

RODENTICIDE

ROMANIA

```
R L R G D S A R M K A A S R R
M J S B R B H V O R Y U E E H
T R R E H E A T E D O G R T Y
A J N Y R O U I T T D O O S T
G I G O R O V J O I D U T A H
N F N H I I R I R E I B A M M
I B I A R T R S N N R G R G R
N T L J M N U T B S R M E N O
O I E A I O I T V R R G G I B
K X E R I C R V I R E T I R E
C Q R Q I D Q B A T H S R O R
E O S D O F A L S C S P F Z T
R Z E M J L L R R A A E E A A
R R G C D Y T E V I R V R R Z
M O D N A R M R E P A E R A E
```

WINDOWS

BAY

BOW

CASING

CLEAR

CROSSPIECE

DIMPLES

DORMER

FRAME

GLASS

JALOUSIE

JAMB

LIGHT

LOCK

ORIEL

PANE

PERIOD

PUTTY

SASH

SILL

SLATS

SLIDING

TRANSOM

TRAVERSE

WINDOW

```
T F B G Q L P M A Z B A W I Q
M R M T H G I L G M Y O B T S
R A A C Z O G U J N D T P I M
X M J V L F L C O N I M T U D
J E T I E B A X I R L D T U O
A M K W D R S W N E I O I L P
L O K G O O S B C M W E C L D
O S M B H B I E B R L C L K S
U N B W O S I R H O A I Q D N
S A L X T P Q C E D S E I U I
I R H A S R H N P P S M L W X
E T L S N J O J N A P Z U C L
U S O C A S I N G L N V M P Y
C R Q R W S K C E R Y E E A R
C T I F V C U S E G F I B G P
```

JAMES BOND

ARIS KRISTATOS

ASTON MARTIN

CHANG

DARIO

DR NO

FALCO

GABOR

JAWS

KINCADE

LARGO

MATHIS

MR WINT

NECROS

NICK NACK

OCTOPUSSY

RENARD

SAUNDERS

SEVERINE

SHARKEY

SILVA

SPECTRE

THUMPER

TIBBET

ZAO

```
I J Y J N O I N E D A C N I K
L I A K A Y S A U N D E R S X
E W D Z A S T O N M A R T I N
S O T A T S I R K S I R A M N
W K S H M U J B J F J O A R I
J F C P T P C H A N G T Y W C
S D A R I O C L S R H K H I K
O N R D A T F Z A I C S O N N
R L H E D C D L S E L E C T A
C E U R N O S S H R I V L I C
E C P P O A I J A T C E A B K
N T B M S B R Y R C X R F B E
Z H N W U J A D K E S I O E M
S V T W L H I G E P F N R T V
C O H G T J T C Y S C E S P G
```

SUCH A COMMOTION

AGITATION

DISQUIET

FERMENT

FLURRY

FLUTTER

FRENZY

FURORE

FUSS

GARBOIL

INCIDENT

KERFUFFLE

OUTCRY

RIOT

ROW

RUCKUS

RUMPUS

STIR

STORM

TEMPEST

TO-DO

TUMULT

TURMOIL

UPROAR

WHIRL

```
B S Y R R U L F I M Y Q E O J
B S B I T F A H I Y X T E R O
D T T L E E U E O A J L A H
L N E S U H M A B W K Q F O O
T S O I M R K P A T D T F R K
G B T I U N L N E V W L U P R
R T S U T Q Y P P S M G F U E
V N U L R A S Z B G T U R J T
K E P Y W M T I N C I D E N T
B M M S O W O I D E O A K U U
Z R U T R D H I G A R B O I L
F E R O R U F I L A R F G Y F
U F J R R V X P R V I T O D O
S A B M K G A J T L O V S Z Q
S J S U K C U R O U T C R Y N
```

GENEALOGY

AUNT

BIBLE

BIRTH

CEREMONY

COUSIN

DEATH

DEEDS

FAMILY

GRANDFATHER

HISTORY

HUSBAND

LIBRARY

LINEAGE

MAPS

NIECE

ORPHAN

RELOCATED

RESEARCH

SCHOOL

SONS

TITLE

TOMB

UNCLE

WIFE

```
M J Q I H C R A E S E R A Q B
E Z D Q O U H Y X X Y F T G Y
L I N E A G E V N W C V I D R
T E S T N A H P R O E H W W A
I N C D M A P S U N M D N W R
T T U E E F G S D D E E Z F B
B S G A I E I I K T H X R N I
X Q G R A N D F A T H E R E L
W K E P M Q I C A U N C L E C
S C H O O L O E Y R O T S I H
O B O P N L D U E Y L I M A F
V G I Y E L Z S T L M D R Y O
T F Z R V K O N O F B Z C T T
X J T Z T N J L M C L I E P O
Z Z T T S H U S B A N D B B K
```

ADVENTUROUS

BOLD

BRAVE

CHANCY

COURAGEOUS

DANGEROUS

DARING

FEARLESS

FOOLISH

GUTSY

HAZARDOUS

HEADSTRONG

HEROIC

IMPRUDENT

INTREPID

MADCAP

PERILOUS

PLUCKY

RASH

RISKY

ROMANTIC

SPIRITED

SPORTING

SWASHBUCKLING

UNAFRAID

```
D P A C D A M Y Y C N A H C D
U I K M W N S P I R I T E D I
S E P C I T N A M O R S H R A
Y W H E U H A H Q T U P S M R
I K A G R G E S I O F C K H F
C C S S S T O A D X D E S S A
T O I I H M N R D A W I P U N
N X U O R B A I R S L Y Z O U
E Z T R R Z U I T O T S V R E
D J B T A E N C O L C R Q E U
U L W H V G H F K T X S O G D
R W O A H F E A R L E S S N R
P R R B Q S P O R T I N G A G
M B P E R I L O U S Z N B D A
I K Q Y K C U L P S T H G U K
```

OLYMPIC SPORTS

109

ARCHERY

BOXING

CANOEING

CYCLING

DECATHLON

DISCUS

DIVING

FENCING

GYMNASTICS

HAMMER

HANDBALL

HIGH JUMP

HOCKEY

HURDLES

JUDO

MARATHON

POLE VAULT

RACE-WALKING

ROWING

SHOOTING

SHOT PUT

SWIMMING

TRAMPOLINE

WATER POLO

```
O L S U C S I D W G T G W O F
L T U P T O H S I N N B H G I
O S E L D R U H S I Q T I N N
P Y F X N G O O W X T L G I H
R V G P S N R O I O L V H K T
E P N Y Z I R T M B U L J L R
T Y D E M C Q I M B A L U A A
A Z E K V N F N I F V A M W M
W Y C C F E A G N J E B P E P
H R A O W F G S G I L D D C O
P E T H M A R A T H O N I A L
E H H J Z Q Z M Z I P A V R I
B C L U G N I L C Y C H I W N
N R O D R E M M A H R S N Z E
G A N O K C A N O E I N G D A
```

RESOLUTIONS: THINGS TO GIVE UP

BEER

BORROWING

BURGERS

CAKES

CHAT ROOMS

CHIPS

CIGARS

COLA

CREAM

CREDIT CARDS

CUSTARD

DOUGHNUTS

DRIVING

FIBBING

FLIRTING

LAGER

PUDDINGS

SMOKING

SNACKS

SPIRITS

SUGAR

UNTIDINESS

WATCHING TV

WINE

```
W E D S F O G G P R O K J R N
S R A G I C W N N G W G C E E
Q Z X C L H D U I I R J O G G
S R E G R U B O M B V T L A S
V D C F X E N O U M B I A L P
K S R N L N S T R G C I R S I
T I E A X I F K I R H A F D R
B L A W C W R F C D O N K S I
D E M L H T G T F A I W U E T
K R E S G C I N I I N N I T S
I Z A R P U D D I N G S E N S
M N Q T O I E V E K G D I S G
P W O M S C H A T R O O M S S
G V R A G U S C R C C M K S X
V T G N I H C T A W C U S W N
```

DINING OUT

A LA CARTE

BARBECUE

BILL

BISTRO

DINER

DRINKS

EATERY

FISH

GLASS

GRILL

MEAL

MEAT

MENU

NAPKIN

PARTY

RESTAURANT

ROTISSERIE

SEATS

SERVIETTE

SUPPER

SUSHI

TABLE

VEGETARIAN

WAITER

```
U E E T A I A X Y T I H V P E
V N B T N E Y P H R K L O Q H
J F E K T A R Z K Y E F I S H
Q O J M T E R K E H S T W K Q
E B F V S R I U V Y A S A V F
I O D E E K U V A I M W A E V
R K A P S M F O R T K O U L E
E T P U E G S R T E S H V F G
S U S A F K R X M R S E M V E
S H T O U W A I T E R E R Y T
I P E T R A C A L A A E T L A
T B A R B E C U E L N A L O R
O O D R I N K S E I B I H P I
R B I S T R O A D L B E L D A
L D M F I Y F G E N A P K I N
```

HOT STUFF

ASHES

DESERT

FEVER

FIRE ENGINE

FIRE TONGS

FLAME

FORGE

FURNACE

GREENHOUSE

HEARTH

HEATER

HELL

KILN

LAVA

MATCHES

MICROWAVE

OVEN

PYRE

RADISH

SAUNA

STEAM

SUNSHINE

TEMPER

VOLCANO

```
Q M R L V L Q P E B M A N N Y
K Y A W S V F F U R N A C E B
P V O L C A N O U E B J E S O
A V L P Z S N D T S S A B T F
G F Y I I T V R S U O Q G U S
H R O R B F E O P O Y O D G E
E S F E O S V F L H S T N V H
K F I R E E N G I N E O A Q C
L I G D N K E Q I E T W F T T
H E L M A Y M T N E O L E S A
E E N N J R A J R R B L V S M
A A A Z F P L I C G N E E A U
R M S T A F F I E R Y H R U J
T E M P E R M S U N S H I N E
H G G P T R A P I A S S K A L
```

PRINTING

COPPERPLATE

CUTTING

DYELINE

FEEDER

FONTS

FORMAT

GRAVURE

JOURNALS

LETTERHEAD

LITHO

MARK

MEASUREMENT

MONOCHROME

OFFSET

PAGES

PAPER

PRESS

PROCESS

PROOF

PUBLISH

REPRO

STAPLE

TEXT

TINTS

```
G R T L L Y P D S S E C O R P
R Y C I K W R A O Y G T K P J
A E O H N M E E K W K N R T G
V F P R U T S H N N T E A L H
U S P A P U S R E X W M H C F
R T E M P E K E E L R E S U D
E H R G K R R T I O L R I T D
E M P L A X T T F P E U L T Y
L L L M R P H E G L C S B I E
P G A D A O P L S I E A U N L
A S T N O F F O H F N E P G I
T L E C N O R E H P F M D H N
S Q A J O U R N A L S O G E E
C S Z R E D E E F J T Z T Q R
D A P E I E M O R H C O N O M
```

EDIBLE HUES

ALMOND

AVOCADO

BISCUIT

CARROT

CHOCOLATE

CINNAMON

CRANBERRY

CREAM

HAZEL

LEMON

LIME

MAIZE

MANGO

MELON

MINT

OLIVE

PAPRIKA

PEACH

PLUM

SAGE

TANGERINE

TEAL

TOMATO

WINE

```
U Q T S E I A A K I R P A P I
M A N G O V X N A V O C A D O
I N O M E L I S O R H M U L P
N K U R V Q B L A M C Y I J F
T O R R A C E Z O G A E N I W
X E R L E Z A H J J E N B U G
I N T M I W V F D C P J N S H
L I O A A Z Z N H B G E K I D
U R M Y T T O O Y M T W N N C
Y E A X Q I C Q R N M Z O L H
T G T I V O U C T N Y M E F P
E N O F L R R C Y P L Q M Y P
A A U A Q E Y Y S A N N I Q Q
L T T R A I O A H I M E L O N
C E W M E M Y R R E B N A R C
```

CLEVER THINGS

ACCOMPLISHED

ADROIT

ALERT

ARTFUL

ASTUTE

BRAINY

CANNY

CRAFTY

CUNNING

EXPERT

INFORMED

KEEN

LEARNED

```
G Z Y L R E T S A M A N R F R
A Y K E S X M L U Y T L I I A
C T Q T H P X D E N R A E L H
C F U U R E S Y L N R N A R J
O A A T E R D W Z A C O U E T
M R L S W T N P C C A I K S X
P C I A D E L O O H C S E I W
L V F Q Y I R L C E N S E W B
I I I F D N D S U X S E N T H
S P E B R E I H A F E F B E L
H Y D B R E L A F S T O S E T
E T I O R D A L R F Q R H R N
D U T H Q Z T D I B F P A T I
C U N N I N G Z Y K J M R S J
T B I N F O R M E D S S P X J
```

MASTERLY	SCHOOLED	SMART
PROFESSIONAL	SHARP	STREETWISE
QUALIFIED	SHREWD	TUTORED
READY	SKILLED	

"… DAY"

BIRTH

BOXING

DOOMS

EASTER

FATHER'S

FEAST

FIELD

FLAG

GOOD

HEY

INDEPENDENCE

LABOR

LAMMAS

LATTER

LUNAR

MARKET

OPEN

POPPY

PRESIDENTS'

SPEECH

TWELFTH

VETERANS'

WEEK

WORKING

```
K E E W X P L C D A Y A D E X
B E C N E D N E P E D N I Q Y
Q U I F D A Y A D U C H K M P
G G N I K R O W K M O C E P P
S N F Y C S F E A S T E H Y O
F R I A A T T R P L H E T J P
L V E X D D K N A Q X P F Y C
A G D H O E V M E N Z S L O Q
G I W L T B M E U D U L E P R
G O O D E A B A T R I L W E O
B D O Y S I F S D E I S T N B
M I Q Y M Y F T O U R T E L A
Y R R H A Q A E O E A A N R L
A H K T M D F R M L F M N K P
D S Z Q H G A P S D A Y N S B
```

PERFUME

AMBERGRIS

AROMA

BLUEBELL

BOUQUET

CITRUS

COLOGNE

EAU-DE-TOILETTE

ESSENCE

EXTRACTION

FLORAL

FRUITY

HIBISCUS

INCENSE

LILIES

MUSK

OAKMOSS

ORCHID

ORRIS ROOT

POTPOURRI

ROSES

SCENT

SPICES

SWEETNESS

VIOLETS

```
H I B I D L L E B E U L B A T
S I L U Y I L E S S Z G M N Q
S T E H T I H E N C C B L P C
E D O A I H S C C G E N S B N
N W C O U O F J R R O N F S O
T C O A R D V W G O D L T P I
E G L M F S E R W B Z A O I T
E S N E C N I T A M O R A C C
W P N T F S S R O X B O K E A
S E C N E S S E R I P L L S R
P O T P O U R R I O L F D G T
U J F M B M Q O P L S E N R X
D O K E U S S U R T I C T W E
G A L S S T E L O I V L E T T
O H K R S U C S I B I H X X E
```

MEDICAL MATTERS

ANGINA

APPENDICITIS

ARTERY

ATAXIA

AXILLA

BANDAGE

BICEPS

CANKER

CATARRH

COLDS

CORYZA

DROPSY

ECZEMA

GLOTTIS

MUMPS

NERVOUS

PANACEA

PILLS

POLIO

QUININE

SEPSIS

TABLETS

TESTS

VIRUS

```
P M S Y I O N Z G K T A B C M
N S A S C K U C A G A F S J I
S U S P M U M Z S E P S I S S
Q O Q O T R Y B V N X B T I S
A V U R X R Z O Q F E S T X L
E R I D O U C E C T T I O H L
C E N C C Y G C O E C J L N I
A N I G N A M O L I A O G C P
N Q N K D H G B D K I P N A P
A N E N Z A A N S L X D L T C
P X A H U T E S O T A N S A V
I B I C E P S P T M T F N R I
P J N L P P H U G S A K U R R
V X O A L S U E C Z E M A H U
O X H S I A E T Y R E T R A S
```

WAY TO GO

AIRBUS

AIRCRAFT

BARGE

BOAT

BOBSLEIGH

CARAVAN

COACH

CORACLE

GALLEON

HELICOPTER

HORSE

JALOPY

KETCH

LAUNCH

LINER

MULE

ROCKET

SMACK

SPACESHIP

TAXI

TRAIN

TRAM

WHERRY

YACHT

```
P S C G E L C A R O C B N X X
L A O B J A L O P Y O F I K R
Z C O A C H S Z S B C K A K B
O A V I Y S E P S W H E R R Y
T E C M R G B L A E F T T O E
D S X S R V E A L C N C Y C A
H C S A U I M I I A E H A K B
E R B F G B C V O R A S C E N
N G Z H D O R B O A C X H T F
G O G S P Z U I M V L R T I F
L R E T X Z V U A A S H A F P
V J E L I H L Y R N O M R F T
S R Z N L E J Y T R J E A A T
S Q Y A I A S Y S W L S X C U
H C N U A L G E H I E I O L K
```

ANATOMY LESSON

ABDOMEN

ANKLE

BLOOD VESSEL

BRAIN

FEMUR

FIBULA

FOOT

GUT

HAND

JOINTS

LEGS

LIPS

NECK

F	I	R	T	Q	X	A	C	Z	W	I	Q	C	G	V
N	H	C	A	M	O	T	S	Q	T	H	Y	M	U	S
W	E	S	S	H	O	U	L	D	E	R	C	S	H	R
R	U	M	E	F	B	G	N	Y	M	E	H	P	T	W
U	R	S	O	R	N	A	V	N	V	T	K	I	X	N
A	F	N	A	D	H	M	L	A	P	A	P	L	E	U
W	P	I	J	S	B	T	S	M	J	L	T	E	Z	H
J	N	H	R	B	R	A	R	T	S	A	L	T	I	S
N	O	S	T	R	I	L	W	B	N	P	Y	S	P	N
M	I	J	T	E	R	O	O	M	S	I	G	D	M	M
N	F	K	N	L	E	P	T	U	M	E	O	N	X	U
L	E	S	S	E	V	D	O	O	L	B	O	J	F	T
R	B	C	H	H	B	L	A	Q	O	S	V	B	Y	P
M	A	N	K	L	E	S	E	W	E	F	W	Q	K	E
A	Z	A	X	F	T	A	L	U	B	I	F	W	M	S

NOSE	SEPTUM	SPLEEN
NOSTRIL	SHIN	STOMACH
PALATE	SHOULDER	THYMUS
PALM	SKIN	

REPAIR

ADJUST

AMEND

COBBLE

CORRECT

CURE

DARN

DEBUG

FIX

HEAL

IMPROVE

MAINTAIN

MAKE GOOD

PATCH UP

REBUILD

RECHARGE

REDECORATE

REDRESS

REFIT

REJIG

REJUVENATE

RENEW

REVISE

SEW UP

UPGRADE

```
L F E A D T H I U P G R A D E
R A J Y S N M D H W F U W U R
E O E U E P E L B B O C B E F
C A J H R T P M Z R O V D E W
H D R O U U A G A R T R U Z D
A W V E W A B N R I E D O K G
R E N E V E H E E S O T E I T
G Y S X J I C N S V O R J U P
E P G V P T S Z I J U E D F U
F I D L I U B E R A R J L D H
E T A R O C E D E R T C E A C
X W I L P L U Z S E L N E R T
A I W E N E R R D F X W I N A
J S F G Y A F G E I F M H A P
K D O O G E K A M T F M O T M
```

WORLD PORTS

ACRE

AQABA

BELEM

BELFAST

BERGEN

BRISTOL

CADIZ

COBH

CORK

DIEPPE

DOVER

DURBAN

GENOA

HULL

KARACHI

LE HAVRE

LISBON

```
W J T E F E Y W N Y F J D R K
D E N C E R V A H E L T I A E
A U O E W G B L I S B O N O P
R R N E G R E B X E D U M N P
K Q F M U S T B F E R M T E E
I E W D C Y I M J D T C Z G I
P C E U K D O A N O B G A F D
K W A K R N N E J V E Z Y T O
R K H D T E W C B E L F A S T
P A B R I Y Z R N R E L A Q P
M R E R O Z I U A T M K L L M
J A O R G S Z C N X A L C U S
L C K M T P O R T S M O U T H
S H B O V B U W E V K K G W D
A I L M H Q O O S D A Q A B A
```

MONTREAL

NANTES

NEW YORK

OSAKA

PORTSMOUTH

RIO DE JANEIRO

SYDNEY

BOXES

BAND

BREAD

CARDBOARD

CASH

CHATTER

CHINESE

CHOCOLATE

FIRE

FUSE

GEAR

HORSE

ICE

JUKE

JURY

LUNCH

MAIL

MONEY

PRESS

PROMPT

SAFE-DEPOSIT

SAND

SHOOTING

STRONG

WINDOW

```
W Q R S A F E D E P O S I T K
X J A Q K N E N D P P X E T T
B R E P D E K U J U R Y Z P X
Y E G S N J M E V E P C M I C
J T N J A G S H T K A O F H S
M T W X B E N A W R R G U Q P
L A H C N U L I D P W D L H R
A H I I F O N B T E F U S E E
N C H B C D O D R O R M V C S
G C H O O A M G I E O I I B S
Y A H W R F P H N N A H F D X
C C O D X V Z L E O D D S C X
J V R C N P I Y F V R G V A Z
Y U S W F A R F H O J T E S Z
H B E U M X S W Y K G N S H H
```

"UP" AT LAST

ACT UP

BELT UP

BRING UP

BUMP UP

BUY UP

CLAM UP

COOK UP

DAM UP

DISH UP

FOLDED UP

GROW UP

GRUB UP

LEAD UP

PATCH UP

PUMP UP

SCRUNCH UP

SETTING UP

SIT UP

SNAPPED UP

STRAIGHTEN UP

SWELL UP

TIE UP

WASH UP

WHIP UP

```
A P U N E T H G I A R T S U P
P D C W U P L Y M F D W C G U
U P F H S B U E K O E W R Y E
N H U I P P P S A L W Y U Z R
U S V P J U O B L D C U N P U
P P V U M Y D U K E U S C A P
P U U P R U P E D D U P H T O
U P N H Z B P U P U U R U C U
G P U H S I D F T P P P P H P
N P U H H A U P M I A U E U F
I U U G R O W U P L S N M P C
T T A B N Y B U R M E A S A F
T C L U U I P V B E L T U P D
E A P R X R R Y H C P U E I T
S R P U G D G B V C O O K U P
```

SHOPPING LIST

AIR FRESHENER

ANCHOVIES

BEER

BUTTER

CAKES

CELERY

CEREAL

CHIPS

CREAM

FISH PASTE

GARLIC

LIVER

MILK

MINT SAUCE

PICKLE

RICE

SALT

SOAP

SPIRITS

SWEETS

TEA

TIGHTS

WINE

WRITING PAPER

```
R E N E H S E R F R I A F Z O
Z L S W C L K E G Q E F O R V
Q S Z T K K W C B S W E E T S
F O F C H S Q U E Q U P B V O
V A I O P G T A E O A G U C E
E P S I F T I S N P V E A W G
Q W H O E Z S T G H C L N N H
T C P R S S Q N A V S T C I W
O S A L T G I I U T Y T H U W
C K S A F T A M I M R R O B R
A E T E I M B R A D E O V F K
K G E R Y I I E L V L D I X M
E Z W E I P R L I I E L E J B
S Y E C S C S L K H C B S L Z
K F N E U P E M B R K M H J I
```

CHOOSE

ACCEPT

AFFILIATE

APPOINT

CONFIRM

CULL

DECIDE

DESIGNATE

ELECT

FIX ON

GO FOR

JUMP AT

LEAN TOWARDS

LIKE

OPT

PREFER

RATIFY

SEE FIT

SETTLE ON

SIFT

TAKE UP

VOICE

VOTE FOR

WANT

WINNOW

```
O C P U E K A T V V Y C O V D
J U M P A T A T T O F W W X T
T L W L S J Y P I Z I P T M E
U L T Y F I C O F U T C P D H
N E T A N G I S E D A P E J Z
E D I C E D N T E B R S C U K
X Z V S M R X N S T E C C U A
V R W G S D R A W O T N A E L
O A O E K I L W S P A L B L Z
T P N O X I F M P R E F E R T
E P N G Y P D T Y V E J Y O H
F O I I O T S V G O Q L W Y N
O I W A F F I L I A T E E B S
R N Z R I Q O R S N Z A W C Y
Y T C O N F I R M M Y Z G Y T
```

MUSIC LESSON

ARRANGEMENT

BASS CLEF

BREVE

BRIDGE

FINGERBOARD

MINIM

PITCH

PLECTRUM

POSTURE

PRACTICE

QUAVER

RUBATO

SCALES

SHARP

STACCATO

STAVES

SUBDOMINANT

SUITE

SYNCOPATION

TEMPO

TENSION

TUNING FORK

TWO-STEP

WALTZ

```
T E N S I O N E S D M A D Y Z
P W Z F Q H V G C F U R C D I
T O P E D N F D A L D R R Q G
K T E L P H E I L R K A R G P
R A T C Q I F R E E O N D P S
O C S S I Q T B S B V G L E Y
F C O S B T M C R S R E Y V N
G A W A X I C E H U C M R D C
N T T B N O G A B T S E W B O
I S S I Q N L A R K Z N T Q P
N T M U I U T U P P T T E U A
U A Q F I O M B I R L O M A T
T V P O S T U R E T A X P V I
G E W R D W E F I Z W H O E O
P S U B D O M I N A N T S R N
```

SPORTS VENUES

ARENA

BEACH

BOWL

CAGE

CIRCUIT

COURT

DECK

DOME

FIELD

GARDEN

GROUND

GYMNASIUM

HALL

HIPPODROME

LISTS

PITCH

POOL

RANGE

RING

RINK

SKI JUMP

SPEEDWAY

STADIUM

TRACK

```
P C S D S P O V T E R G Y N W
E D T W Z M J E G N A R C S R
G O S M M U D A R Z Q O H T G
U M I F U J C I G E H U A A N
I E L I S I N S M Z V N R D P
C K C E D K S O W V O D I I V
U C S L Y S R A O Q E I T U T
S C I D G D S E N N A C D M T
E S J L O O P F C M H V Z E R
N G T P Q N E E X G Y X G R U
P T P C B V E K H N F G M D O
I I R E L O D H P A R I N G C
H D A A D D W B O W L P T N N
B C Q D C R A R E N A L Z R B
H E J U D K Y T I U C R I C K
```

POPES

ADRIAN

AGATHO

CLEMENT

CONON

DAMASUS

DIONYSIUS

DONUS

EUGENE

FABIAN

FELIX

JOHN

JULIUS

LEO

LINUS

LUCIUS

MARK

PAUL

PETER

PIUS

SIXTUS

SOTER

TELESPHORUS

URBAN

VICTOR

```
W K Z R S D A M S U S A M A D
U L R K C F I T F D O C W D W
S A G A T H O O E U Y E P R B
S U J R M Q F N N L R V N I E
U U I J T D E O Q Y E B R A D
Q G T C J G C N Q U S V A N U
T X D X U V G O S U N I L N E
D N A E I L U C M P L C U O X
I R E G V S L E O F D T Q S L
N E L M P E O A E V O O N D L
J T Q T E Q P L H D N R A L B
T O I D T L I A P J U L I U S
F S H W E X C I U F S P B X Z
Y M H N R O U O W L G P A X K
P T E L E S P H O R U S F Q D
```

GERMANY

AACHEN

ALSFELD

CELLE

COLOGNE

EMDEN

FRANCONIA

GOETHE

GRONAU

HALLE

HAMBURG

HANOVER

HANS SACHS

HEVELIUS

HOXTER

KASSEL

LEIPZIG

MANNHEIM

OBERAMMERGAU

REGEN

STEIN

TAUNUS

UNIFICATION

VECHTA

VOLKSWAGEN

```
G M N N Q K T M U A C H C M V
R A A E R A T G R O N A U S O
U K I G D S G C Q L Y N U U B
B N N E E M T F Z L I N B I E
M N O R L K E E E F U H M L R
A E C G L Y B I I A A A L E A
H G N Z A U P C T N N E L V M
A A A E H Z A P O N C D F E M
N W R N I T L V H A K A V H E
S S F G I U E E L H A B E T R
S K N O Q R I S S C O G C E G
A L N L G M F G H S A X H O A
C O M O D E G E F R A P T G U
H V E C L V N Y Q N C K A E M
S B I D M T L F U W F Y W F R
```

ALL THAT JAZZ

ACID

BASIE

BEBOP

BLUES

BYRD

CHARLES

COOL

COREA

DORSEY

ELLINGTON

GETZ

HARD BOP

HERMAN

T	D	Z	F	P	J	P	Y	Q	C	L	H	G	N	E
Q	H	U	Z	B	E	K	N	R	E	D	O	M	V	N
O	T	I	V	A	Q	V	Q	N	V	S	H	A	W	I
S	B	B	R	L	J	P	I	C	N	N	K	A	Y	A
C	E	X	A	D	W	L	O	J	O	O	C	O	O	L
J	B	D	G	W	S	R	U	T	C	I	A	R	Z	E
O	O	I	T	X	E	T	G	O	D	O	R	S	E	Y
M	P	O	I	A	S	N	R	B	S	E	A	L	H	H
Q	J	Y	M	N	I	E	C	E	L	J	R	I	Q	A
Z	X	X	E	L	I	U	H	L	A	U	B	C	K	R
M	T	K	L	S	C	F	A	V	T	M	E	Y	L	D
U	H	E	A	G	F	W	R	G	O	S	D	S	E	B
T	C	B	G	V	V	B	L	H	E	R	M	A	N	O
A	C	Q	H	Q	Q	L	E	O	C	E	J	O	F	P
T	F	L	E	I	P	S	S	D	R	Y	B	V	T	G

JIVE

LAINE

MODAL

MODERN

RAGTIME

SHAW

SOUL JAZZ

SPIEL

TATUM

THIRD STREAM

WALLER

REGIONS OF EUROPE

ABRUZZI

ALSACE

ARAGON

BASILICATA

BRATISLAVA

CANTABRIA

EAST ANGLIA

GALICIA

GLARUS

KARELIA

LEON

LIGURIA

LIMBURG

LOIRE

LUBELSKIE

MARCHE

MURCIA

NITRA

OREBRO

RHONE

TARN

TIROL

ZEELAND

ZUG

```
P E L L E U O L X X Z L N E L
M G A O N V N P T A R N K A E
G R I V I R M A R C H E G S B
A U Z K A R E L I A J X Z T A
L B Z X X L E Q O Z P D A A S
I M U E I K S L E B U L I N I
C I R F L G Z I M C S Y R G L
I L B S L N W Q T A U D B L I
A O A A O I Z A C A Q G A I C
L Z R G R E G E S M R E T A A
X U A E N T T U E J U B N O T
S R F O B L I X R L M R A F A
A R H X E R R N S I A W C S W
O R R O K P O P C S A N T I S
Y I N M F Z L P U L Y Z D U A
```

ADRIAN

AGNES

ALICE

AMANDA

BARTHOLOMEW

CHRISTOPHER

CONSTANCE

DONALD

EVADNE

FABIAN

FELIX

FERDINAND

GEORGE

HAYLEY

HORACE

IRENE

JASPER

KATIE

NOELLE

NORMA

ROBERTA

SEBASTIAN

SIMON

WENDY

```
H G J A F T W X P P X L B D A
A B L P A E U X I M S I A N K
D C V E N X I L E F D S R A R
N R O D C K S X A N O S T N N
A E Y N O R M A D Y A I H I N
M H N J S I X O R L E I O D O
A P A F W T N F I I G A L R E
F O I Y R A A C A R I M O E L
A T T D L X E N N E I G M F L
B S S D V E Y F C B O E E E E
I I A S K X Y A Z E M O W V Z
A R B I A T R E B O R R T A G
N H E J N O M I S E N G A D R
Y C S N H L W T S A D E J N U
Q Y R R E P S A J R M Q Z E Y
```

BODY LANGUAGE

BEND

BLUSH

CRINGE

CRY

FROWN

GAZE

GESTICULATE

GLARE

GRIMACE

GRIN

MOPE

NESTLE

PACE

```
N Y R J E W G C H H L T L I U
N W A Y P T P O U T S D X O U
D G H R N N A B G N T A C E C
W X O I S K T L M U A P O R B
Z E R E N I G J U S R T V A Y
J G Y S H G E H J C E H J L D
W H Q T C I C G U Q I U S G S
D F I R U U A R N E S T L E W
P J B E O H P I I B L U S H Q
M U P T L C W M H N W U N E E
L O T C S T V A G H G I J L G
M B B H N A B C I U W E N B F
N W O R F R T E S I C A Z C B
V X D W F C Z O N O Z K V A E
Y T P Q M S W O Q D N X Z E G
```

POUT

SCRATCH

SHRUG

SIGH

SLOUCH

STARE

STRETCH

TOUCH

WAVE

WINCE

YAWN

POWER RANGERS

CASEY

CESTRO

CHAD LEE

CHARLIE

CORCUS

COUNT DREGON

DAGGERON

DAX LO

DELPHINE

FINSTER

KARONE

KAT MANX

KORAGG

LEANBOW

LILY

MAYA

PUTTY PATROLLER

SKULL

THEO

TIDEUS

TYZONN

UDONNA

ZHANE

ZORDON

```
F N B H M O F S V Z Y A Y A M
O Y K D R Q L F V L S K D C R
E E N A H Z I X I T O B O U W
I S C G R N N L A R H U A D O
L A I T S O X N A D N E V O B
R C H T I Q N G O T Y Z O N N
A F E A O D G E D D Q H E N A
H R D A G G E R O N R N H A E
C O R C U S E U K T I O Q Z L
O C G F G G Q A S H P W Z B Z
R E L L O R T A P Y T T U P S
J S X N S M U L L J W Q D K F
L T X K A E E L D A H C U J J
E R Y N F D U C N U K L U N E
J O X C O E A F N N L I L R O
```

KINGS AND QUEENS

ALFRED

ANNE

ATHELSTAN

CANUTE

CHARLES

CUTHRED

EDGAR

EDMUND

EDWARD

EDWY

EGBERT

ELIZABETH

GEORGE

HAROLD

HENRY

JAMES

JANE

JOHN

MARY

MATILDA

RICHARD

STEPHEN

VICTORIA

WILLIAM

```
L K Q M O D R A H C I R M N N
Y W Z A N S E M A J L I A A T
D G C U N E H P E T S D T T R
L L M E S O J A N E J F I S E
E D O M D B A L F R E D L L B
E D H R A W L I A J V Z D E G
C M W T A S Y H N S B K A H E
C A F A E H K G N Y H L A T A
A R J J R B R M E J H E L A E
N Y O G S D A A A X K Y N G B
U G H U M C P Z G I K D R R K
T F N L N J N N I D L O F T Y
E V I C T O R I A L E L M Y O
C H A R L E S H X G E O I Q B
D W S U Z D E R H T U C D W Q
```

WORDS DERIVED FROM ARABIC

ALGEBRA

ALKALI

CARAT

CARMINE

COFFEE

COTTON

ELIXIR

GAUZE

GERBIL

GIRAFFE

GUITAR

HAREM

HENNA

HOWDAH

HUMMUS

MOHAIR

MUMMY

MUSLIN

ORANGE

SULTANA

SYRUP

TANGERINE

TARIFF

ZENITH

```
R O H T P J O G A H T C Y S D
E T G T Q Y A F L E A O L G M
N H A D I F L Y K N R T Q A P
I Q Q N L N G R A N A T L U S
M X E J G I E K L A C O Y Z H
R P U E J E B Z I W F N B E A
A I U N F X R R H U M M U S R
C P R R I F A I E P G Z K O E
M N B A Y L O D N G U Y G F M
T Z H P T S S C E E N C F X J
A R A T I U G U L I S A E K Y
R P D F D Y K I M T R T R M G
I H W N R I X Y G I I L M O A
F M O H A I R Y G L E U J J F
F L H Q R L X R F F M P B V Q
```

THEATRICAL

ANCHOR

ARENA

BREAK

   CHARACTER

CABLE

CALL

CLOTH

COSTUME

DECK

DIRECTOR

END ON

FADE

FOCUS

GRID

GRIP

LADDERS

LINES

MUSLIN

REVOLVE

RIGGING

ROSTRUM

RUNNING ORDER

SCENE SHIFT

STAGE MANAGER

WINGS

```
E S I X B R W Q M U R T S O R
G R U N N I N G O R D E R D E
S G R N I L S U M A I M I P T
R E O K N Y E O E P C R O D C
W I N Z P Q L W A D E S D B A
S T F I H S E N E C S A C W R
R E R E L N E C T D A V A N A
E G V Q M R K O T S A B L R H
D S R L A U R X R H N F L O C
D G U Q O C T O H T A H E E K
A N D C X V H S Y O K I X Y A
L I I Q O C E L O L N O D N E
C W R O N F H R D C L S N L R
R E G A N A M E G A T S B X B
R G G N I G G I R N A V W J P
```

MATHEMATICS

ADDITION

CALCULATE

COSINE

DECIMAL

DIGIT

EQUAL

FACTOR

FIFTH

FIGURE

HALF

HUNDREDTH

MEAN

MINUS

NEGATIVE

NUMBERS

POWER

RATIO

ROOT

SERIES

SIXTH

SUMS

TAN

THIRD

ZERO

```
E  H  T  N  U  M  S  R  E  B  M  U  N  U  Z
V  T  K  E  P  S  I  L  Z  L  Q  T  C  E  J
I  X  E  T  U  O  F  N  A  U  X  J  R  R  E
T  I  U  M  H  M  W  U  U  M  L  O  D  K  J
A  S  S  M  A  X  Q  E  B  S  I  A  J  Z  J
G  G  E  R  L  E  L  I  R  G  M  C  B  H  Y
E  H  N  R  F  A  C  T  O  R  Y  S  E  D  S
N  O  I  T  I  D  D  A  J  T  H  I  R  D  R
S  F  S  T  D  E  Q  O  L  E  W  S  L  I  Z
F  K  O  U  Y  W  S  F  O  C  R  L  C  G  Q
J  O  C  Q  F  I  G  U  R  E  U  N  O  I  I
R  A  T  I  O  I  C  T  T  G  A  L  E  T  M
E  K  H  X  U  W  F  V  V  T  A  B  A  E  K
E  B  H  M  H  V  H  T  P  F  N  E  A  T  Z
H  T  D  E  R  D  N  U  H  R  A  N  V  U  E
```

EXCITING WORDS

AFLAME

AROUSE

BUSTLE

CHARGE

EBULLIENT

ENLIVEN

FLUSH

HYSTERICAL

IGNITE

INDUCE

INTOXICATE

KEYED UP

PALPITATE

SHAKE

STIMULATE

STIR UP

TENSE

THRILL

TINGLE

TREMBLE

TURN ON

UPSET

WHET

WORK UP

```
P B M W F T N U Q U T N Z P Q
U E D Q F J N S A W P U Z U X
K T S V Q G R L W H C S K R H
R A O N A F L A M E Q K E I Y
O C E Y E E A Z C Y P D Y T S
W I C L E T B E K A H S E S T
I X U K G L R U L G D T D H E
M O D R L N T P L H A B U F R
A T N N Y R I S Y L F K P W I
R N I R E T K T U C I L H B C
O I R M A V U M H B H E U I A
U D B T X Z I R P R T A N S L
S L E Q N T W L N U I G R T H
E X E U S U R G N O U L Z G D
D C V Q I G N I T E N R L Y E
```

MR MEN

BUSY

CHEERFUL

FORGETFUL

GOOD

GREEDY

GRUMBLE

HAPPY

IMPOSSIBLE

LAZY

MEAN

MISCHIEF

NOBODY

NOISY

QUIET

RUDE

RUSH

SLOW

SMALL

SNOW

STRONG

TALL

TICKLE

UPPITY

WORRY

```
Y Q A Q U T X Y F U P L E J G
S F Z C I Y P Q F Y L B F D P
U U S C D D G G D A G C O X F
B T K Y F O G Z T F H O J O E
T L S Z S B J M O E G H R L Q
E R M A Q O Y D E E R G B S E
V X G L G N O R T S E M H L S
S N J M F X F Y N T U B B S S
E D U R P U W O F R Y I C N V
N N V R L W W U G P S M A L L
S Y R R O W L Q P S M E Q N L
P R J C F O X A O P M U T T D
P J U E X L H P N O I S Y Y K
L S K S G S M A L E T T T H S
M I S C H I E F T W S P Y H X
```

LIGHTWEIGHT

AIRY

BUOYANT

CASUAL

DELICATE

ETHEREAL

FICKLE

FLIMSY

FROTHY

GOSSAMER

INADEQUATE

LOOSE

MINOR

NEGLIGIBLE

NUGATORY

PALTRY

PAPERY

PETTY

POROUS

SANDY

SCANTY

SPONGY

THIN

WEAK

WEIGHTLESS

```
W F E F Z A O C J W A E C Y Y
B K Y R R N D C W I J K Z T G
G O S S A M E R R W F Y B T N
S S M Y B V D Y B T P H J E O
S U I I N A D E Q U A T E P P
E O L C E L K C I F L O H C S
L R F P A R A Y P E T R X I T
T O N Y F S O E R X R F Q D N
H P O A R H U N R E Y W B E A
G O C S M O S A I E P Z X L Y
I S U D E C T O L M H A I I O
E V A Z A W N A S X Z T P C U
W G M N E G L I G I B L E A B
P M T A D G Q C G U G P B T F
U Y K W K Y T T W M N E L E J
```

SO QUICK

ABRUPT

ACTIVE

AGILE

ALERT

BRIEF

BRISK

BUSTLING

BUSY

CURSORY

DEFT

FAST

FLYING

FORTHWITH

HASTY

HURRIED

INSTANT

METEORIC

NIMBLE

PROMPT

PRONTO

RAPID

READY

RED-HOT

SNAPPY

```
B O U S H D O Y L H S N B G B
H G N G C E R R B R I S K U K
T Q X T R E L A B H A S T Y
N O T N O R P D Y F R T X S G
A D C K J H Y T E V L I U I E
T D Y P O Y D O M I X B E Z V
S M I E N D P E N W R E Z F I
N Y F P I A U G R A B R U P T
I C L Q A E S A T Y T O U B C
M U Y F O R T H W I T H R H A
B R I S H C X Q O S W V L T U
L S N A P P Y H A I H A E V L
E O G H V R T F E D E L I G A
H R A Q J T P M O R P T X I B
H Y E H J N W C I R O E T E M
```

VARIETIES OF PEA

AMBASSADOR

BALMORAL

BANFF

BAYARD

CAVALIER

COCKPIT

DELIKATA

DORIAN

EDULA

GRIFFIN

HOLIDAY

HUNTER

JAGUAR

MISTY

NORLI

OASIS

ONWARD

RONDO

SATURN

SERGE

SNOW WIND

SPRING

STARLIGHT

SUGAR BON

```
Y X E F S Q L Y Y G W V D T T
X A G G P U T W K M Q E I H V
O L R K R S C C E F L P G S O
N U I Q I E H V D I K I U Y A
W D F M N T S O K C L G O R S
A E F C G O R A O R A R O F I
R H I Z Y I T C A R B D O F S
D L N X A A Q T B Q A F K N B
N R E N D S S O M S L P S A R
I U K S I K N O S R M V Y B A
W R E I L A V A C O O A N F U
W M V W O D B W J N R J S U G
O W E D H M W R V D A G F Y A
N R U T A S S M X O L P Y K J
S M W H E D H U N T E R F I U
```

NEWSPAPER NAMES

ARGUS

COURIER

ECHO

ENQUIRER

EXAMINER

EXTRA

GLOBE

HERALD

INDEPENDENT

JOURNAL

MAIL

MERCURY

PLANET

POST

PRESS

RECORD

REPORTER

SENTINEL

SHOPPER

SKETCH

STAR

TIMES

VOICE

WORKER

```
N M L R P M V R E N I M A X E
S E L E L B K T D R Z U A S X
S R J I A D J G E S L D V I Q
E C O R N L V K H E O G S X L
R U U U E D R K N A H A H J F
P R R O T O R I C H D L O L L
D Y N C W B T O T S O P P T K
L Y A L U N U S C N V C P I R
Z W L R E N K Y E E Y G E M E
E A F S G E N Q U I R E R E T
V T T G T U C G L O B E A S R
X A Y C H F S H E U Z R R Y O
R S H E C I O V O O T V H P P
D L A R E H P N S X J V C V E
W P U T N E D N E P E D N I R
```

"O" WORDS

OATHS

OBELISK

OBFUSCATE

OBLONG

OCTAVE

OFFERING

OFTEN

OILSKINS

OLIVE

OMINOUS

ONESELF

ONLOOKER

OOZING

OPAQUE

OPPORTUNITY

ORKNEYS

OUTDOOR

OVENPROOF

OVERT

OXBOW

OXIDE

OYEZ

OYSTER

OZONE

```
O C L S U S O C T A V E E H Z
R T O A F E H C J O O U N P E
O B F U S C A T E X O Q O O Y
O B E L I S K G A B I A Z F O
D R Y T I N U T R O P P O F A
T I K O G K E O I W B O N E E
U I D N O F T E N O Z L L R I
O O R E E T O P O I T H O I O
V M O S E Y H Y N L M O O N N
O S Z E O O S G Y S F O K G G
E V I L O X M O L K O D E T V
O G E F E A C O P I O X R B O
E S M R N O K D Z N V W I D O
A O Y S T E R C H S T F U D W
O V Q L R F O O R P N E V O E
```

"FLY …"

AWAY

BALL

BLIND

BLOWN

BRIDGE

BY NIGHT

CONTACT

FLOOR

FRONT

HIGH

IN THE OINTMENT

LEAF

OPEN

ORCHID

OVER

PAPER

PAST

ROD

SHEET

SWATTER

TENT

TIPPER

TRAP

WHEEL

```
L J M X C R A Q E B R J T D R
L S Q T D H N W Y O F N F O W
A W E N S N T N O A E O I R U
B N E H Y S I L E M B O A J L
T P E J A G F L T L E E H W J
O E S P H X P N B P R T R W R
T Y C T B P I T B V E J W R E
E T Q O D O T W T B V F B E P
A C I U E E H Q E W O O O T P
W A F H B K L G T K P A R T I
A T T V N L D N I R W J Z A T
Y N L Z C I O X D H E H N W X
I O Z P R R K W R C F P K S M
E C U B F T Z K N Q C H A R G
E W Z F G B I O R C H I D P J
```

EUROPEAN RIVERS

ALIAKMON

ARNO

AVON

DNIESTER

DOURO

DRAVA

EBRO

ELBE

LOIRE

MARECCHIA

MARITSA

MEUSE

NEMAN

NERVION

OFANTO

RECKNITZ

RUBICON

SANGRO

SAVA

SEINE

SHANNON

TAFF

THAMES

VIENNE

```
N O I V R E N O M K A I L A R
K J C U T X I N R P E R O X K
N N O V A L F T A A O R N K K
S O R G N A S I V P B A I O K
E E I V J O H P X E V J D O F
S N M Q Q C N Q F A H J Q B L
S Y I A C N J N R L D R N O Y
K J U E H P C D A R G O I R J
S T R M S T N X I H C U X G H
G A G E B I I H V I S K N W O
M F D U E B J Y B I I G A L T
S F N S Z X B U Q B E V M M N
E G T E J O R U O D A N E W A
D E W C M A R I T S A X N A F
R E C K N I T Z E B L E I E O
```

HORSE BREEDS

ARABIAN

ARDENNES

ASTURIAN

FINNHORSE

FRIESIAN

GALICENO

GRONINGEN

HACKNEY

IOMUD

KAZAKH

KNABSTRUP

LATVIAN

LOSINO

MANGALARGA

MISAKI

MIYAKO

MORGAN

MOYLE

MURGESE

MUSTANG

PALOMINO

SHETLAND PONY

SHIRE

THESSALIAN

```
A G R A L A G N A M P F C A J
K F R I E S I A N A I V T A L
C R D N O E O E L B I O M U D
Y N O P D N A L T E H S Y N H
F M G R O N I N G E N E E A K
E Y O M T E E M U Q S L N I A
K L N R U D X Z O R B A K R Z
Y N Y A G R V G O L I L C U A
G P A O I A G H A L A G A T K
N L O B M B N E A L M P H S R
A O K N S N A S S H I R E A M
T S A Y I T S R H E S C F N R
S I Y F Q E R P A Z A V E A L
U N I E H X B U H D K R F N X
M O M T L A W U P E I I P M O
```

FOOD FOR ANIMALS

ANTS

BARLEY

BERRIES

BONES

CORN

DOG FOOD

FLIES

FODDER

GRASS

HAY

INSECTS

KIBBLE

LEAVES

MAIZE

MEAT

MICE

NECTAR

NUTS

OATS

RATS

SEEDS

SUGAR BEET

SWEDE

WHEAT

```
Z O Z R N R E V T N X V S M W
O O K E P G F K R J J C T S Y
W R A D X N D O Y E L R A B E
R E I D B O C S C Y S N R T B
I P M O G Q A U N T H R Y K W
Y J N F W Z R G N R A A S S G
S E O Z F I F A S E V A E L F
S O E C I M R R L O A I E D P
D Q B A N A Y B B E L T D O G
E O T T N B E A F P A S Q R
D J A C C I U E E B R E C A A
E L E T K X B T M Z J H X Q S
W N M D S T C E S N I W A Y S
S S E I R R E B P U K A Z Y F
P V S V U X L T G Q L Y M Y K
```

COMMITTEES

ASSEMBLY

BOARD

CABINET

CAUCUS

COMMISSION

CONFERENCE

CONGRESS

COUNCIL

EXECUTIVE

JURY

LEGATION

PANEL

PLANNING

QUANGO

QUORUM

SELECT

SENATE

SYNOD

TASK FORCE

TEAM

THINK TANK

USER GROUP

VESTRY

WORKING PARTY

```
Y U K N A T K N I H T A R S S
Z R E P D T A S K F O R C E P
F W T V D O N Y S S G D W U J
L X S S I Y M J U V M N O Z E
E F E W E T L C U S X R R V C
G S O T N V U B B R G N K X C
A S G J A A M C M R Y A I O O
T E N N C N H U E E Q Y N O M
I R A Y I T E S R X S F G J M
O G U C P N U S T O E S P S I
N N Q P T P N B X R U P A D S
C O U N C I L A E B A Q R E S
U C Q T E A M N L N G A T I I
T E N I B A C W E P O Z Y T O
D T C E L E S L C B C E L L N
```

FISH

ANCHOVY

BASS

BELUGA

BREAM

BRILL

CARP

CODLING

GARTER

HAKE

LAMPREY

LUMPSUCKER

MINNOW

MULLET

PARR

PERCH

PIKE

PLAICE

PORPOISE

PUFFER

RAZORFISH

ROACH

RUDD

SKATE

TUNA

```
U P H T J W W A V R O A C H H
M R E F F U P L E C E D E N A
A A C U A R U K O J F T T D A
E C M S A N C H O V Y M A F M
R E K I P U U M V X O I K K T
B E I E S I O P R O P N P J S
R N K P U C H A B H J N L Y Y
H A M A G C B R C K T O A W E
L U Z E H Q O R D A A W W G R
L T C O S H E D P L G N M A P
D N W J R P W L L L I U U R M
V D B D R F A L A I S E L T A
E X D J W I I L D R N N L E L
B U S I C B A S S B J G E R B
R R C E V Y S H H D U V T Q J
```

BUILDING

ALCOVE

BLOCK

COLUMN

CORRIDOR

CRYPT

DECORATE

DOME

ESTATE

FLOOR

FOREMAN

JAMB

LEDGE

LOBBY

LOFT

PATIO

POST

ROOF

SCAFFOLDING

SILL

SITE

TILE

TOWER

TRUSS

TUDOR

```
K T P Y R C R U E S S J A C Y
J V L S F O O R R W N S X W Y
V N E M C G P O V C T J U U P
G R V P K A V O I P J G B R N
U L O B B Y F L E G D E L A T
E H C T M Y T F O L Q B M Z L
Q T L K A R C Z O B S E M M K
J E A T J R D N L L R E V M Q
L F R R D O O E W O D T I L E
X R O R O Q X D F C R I E F L
N E D H I C Z G I K R S N L H
N M U L O C E E Q R T E I G T
P A T I O E M D H A R S W S M
A A T Y I O O N T L N O O O Z
C W L K D U Z E D B S P C H T
```

THINGS THAT CAN BE HUNG

BANNER

BASKET

CALENDAR

CLOCK

CURTAIN

DIPLOMA

FLAG

LIGHT

MIRROR

MOBILE

PENNANT

PINATA

PLANTER

PLAQUE

PORTRAIT

POSTER

RAINCOAT

SCONCE

SHELF

SIGN

TINSEL

WALLPAPER

WASHING

WREATH

```
Z R T T E K S A B P F A H I I
A A A X O A X F I P T T Y O J
S P O M W G M N P R L H Q V S
M O C I R C A O F L C A G F J
E R N R E T P W L D A L Q I K
U T I R A E E D E P N N O U L
W R A O T D N A H G I Q T C E
W A R R H R N G S G A D K E K
A I L C U E A E T G T Q S K R
S T E L A N N A L H R M C P L
H U S C P N T Q W A U D O F B
I S N Q W A S E G N C S N L J
N B I K R B P V U Y T F C A V
G N T G T J U E B E A P E G P
I U H S N Y I Z R E L I B O M
```

EDUCATION

ACADEMY

ASSESSMENT

CHANCELLOR

CLASS

COACH

COLLEGE

COMPREHENSION

COURSE

CRAMMER

DEAN

DEGREE

DOCTOR OF
SCIENCE

GRANT

HOMEWORK

LESSON

LINES

SCHOOL

SCOUT

SEMESTER

SEMINAR

TESTS

TUITION

TUTOR

WARDEN

```
T U Y A S S E S S M E N T A D
E V M B O Q L C S O M K J N E
S R E Q C P H I X A Y I O K A
T O D L E O S C N S L I X R N
S L A J O F L E F E S C T O D
N L C L T D D L M N S X Y W E
O E A R O R E R E E O Q F E G
I C G L A S A H O G S G S M R
T N T W R M E Q O T E T R O E
I A V U Y R M A X T U A E H E
U H O G P O T E U P N T E R Q
T C C M G S X O R I E Z E F A
X P O A I G C K M I T N A R G
A C T N O S S E L R D Q S M O
E C N E I C S F O R O T C O D
```

"ARM" FIRST

ARM WRESTLING

ARMADA

ARMALITE

ARMBAND

ARMED FORCES

ARMED SERVICES

ARMENIAN

ARMET

ARMFUL

ARMHOLE

ARMIGER

ARMILLA

ARMING

ARMLESS

ARMLET

ARMORIAL

ARMORIC

```
P K T A R M Y A N T A R M N E
A R M E N I A N B M R A L M Z
X Y A R M E D S E R V I C E S
A A G S O R O Y S B A R M F E
R R M N E W A I A E N A I R L
M M M Y I C Y C C R L J U U U
L A R S A L R M E I M M K H F
E D E A R D T O R L R P R G M
T A T Q J A N S F A O O I A R
G N I M R A C A E D O H M T A
A L L I M R A E B R E C M R A
R X A R M I G E R M W M V R A
M G M Z M Q D T S E R M R A A
Y W R S P R O C Y M R A R A W
A L A I R O M R A R M R Q A Q
```

ARMPIT

ARMREST

ARMS RACE

ARMURE

ARMY ANT

ARMY CORPS

ARMY WORM

LIGHTS

157

BEAM

CANDLE

DAWN

ELECTRICITY

FIREFLY

FLAME

FLARE

GAS JET

GLEAM

GLOW

HEADLIGHT

LASER

LUMINOUS

MATCH

MOON

NEON

OPALESCENCE

SCONCE

SHINE

STAR

TAPER

TORCH

ULTRAVIOLET

WATTS

```
W S Z C Q B F E L D N A C G Z
Z C H C T A M L U M I N O U S
W Z E H C F G A S J E T O X L
H T H G I L D A E H I S Y G E
L E X U A B C S T A R T H B E
C M Z S L F L A M E G T Y M C
S L E J C T W T E L O A L O N
B R R F L A R E E R X W F O E
R E P A T N O A C B H H E N C
W E A P U L M H V E O N R D S
O F C M N X S G D I N Z I A E
L K R N Y U P M X Z O I F W L
G V N N O D R V W U H L H N A
Y Z Y T I C I R T C E L E S P
K X D O P D S L F L W P Q T O
```

METALS AND ALLOYS

AMALGAM

BRASS

CARBOLOY

CHROME

COPPER

ELECTRUM

GOLD

GUNMETAL

IRON

LEAD

MERCURY

NICKEL

PEWTER

PINCHBECK

RHODIUM

SILVER

SOLDER

STEEL

TIN

TOMBAC

TUNGSTEN

WOLFRAM

ZINC

ZIRCONIUM

```
W S P R N R D U F Z J F H Q V
R L N I M M E T A X K J H F E
U E T V X E B V Q K A F M Y M
F A T N N N R C L G I R U O O
B D L W O O V C A I Q E R A R
N K E O E P R Z U R S D T C H
K C E L U P I I A R B L C A C
E E T F R N T E T M Y O E B E
R B S R C N J U O Q A S L M F
A H O A B P N I C K E L E O K
A C O M M G C D T F R Z G T Y
U N Z D S F L R E P P O C A E
P I J T I O Z I R C O N I U M
Z P E T G U N M E T A L P I V
V N E Q Y Q M S S A R B U E J
```

IN THE PARK

AVIARY

BANDSTAND

BENCHES

BOWLING GREEN

BUSHES

CAFE

CRAZY GOLF

FENCE

FLOWERS

GRASS

LAKE

LAWN

PATHS

PONDS

ROSES

ROUNDABOUT

SEATS

SQUIRRELS

STATUE

SWANS

SWINGS

TENNIS

TREES

WALKING

S	R	A	K	Y	K	G	N	V	L	P	N	T	D	N
M	U	O	V	X	X	Y	S	F	F	C	I	K	S	X
V	S	L	S	I	R	U	T	G	R	S	A	R	L	G
P	N	W	S	E	A	S	S	A	R	G	V	O	E	P
O	E	E	I	P	S	R	Z	S	L	N	T	U	R	Z
N	C	O	E	N	D	Y	Y	E	K	I	E	N	R	S
D	N	J	K	R	G	N	K	E	P	K	N	D	I	E
S	E	O	Q	O	G	S	A	R	Z	L	N	A	U	A
S	F	T	L	S	F	G	H	T	V	A	I	B	Q	T
E	Q	F	D	T	M	R	N	B	S	W	S	O	S	S
H	S	H	T	A	P	J	S	I	D	D	S	U	I	E
C	Y	B	N	T	Z	N	V	N	L	C	N	T	F	K
N	E	U	R	U	V	Z	L	L	A	W	N	A	D	A
E	G	S	R	E	W	O	L	F	F	W	O	X	B	L
B	U	S	H	E	S	F	E	Y	E	F	S	B	S	Q

NEW YORK, NEW YORK

BRONX

CHELSEA

CHINATOWN

CONEY ISLAND

EAST RIVER

GRANT'S TOMB

HARLEM

HERALD SQUARE

LEVER HOUSE

LINCOLN CENTER

MACY'S

MANHATTAN

QUEENS

SAKS

SKYLINE

SOHO

SUBWAY

THEATERS

THIRD AVENUE

TRIBECA

UN HQ

WALL STREET

YANKEE STADIUM

YELLOW TAXI

```
E U N E V A D R I H T W T L M
Q T L E V E R H O U S E R U L
H E B K R I E B K Q G C I Q G
G E H H C A R A S H P D B H Q
R R M O C O U A S Y A K E N U
A T K U N O N Q E T C S C U E
N S Y X T W N A S S R A A A E
T L K S O H O E T D L I M N N
S L I Y S Y E T Y T L E V E S
T A O A L K A A A I A A H E Y
O W K J N I S W T N S H R C R
M S U A W G N K B E I L N E N
B X Y H A R L E M U R H A A H
Y E L L O W T A X I S S C N M
E R E T N E C N L O C N I L D
```

THE ENVIRONMENT

ACID RAIN

BAMBOO

BIOMASS

CFC

CLEAN AIR

COMPOST

EARTH DAY

EL NINO

EMISSIONS

FLOOD

FOREST

GLACIERS

GLOBAL WARMING

HURRICANE

ORGANIC

PESTICIDE

RECYCLE

RECYCLING

SEWAGE

SMOG

TSUNAMI

VEGETARIAN

WATER SUPPLY

WEATHER

```
G N I L C Y C E R R F U A T I
E R E S S F G U G T L V S M I
L I N R C L O W G Z E E A U B
C A A E I O M E Q G R N E O R
Y N C I R O S A E O U W A O L
C A I C R D S T F S B E R O X
E E R A B J A H T Q E G T B E
R L R L R R M E T L A A H M D
R C U G I D O R C N D W D A I
R E H A Q F I L I V R E A B C
E L N I B I B C I V V S Y Q I
G N I M R A W L A B O L G O T
F I C C S N O I S S I M E N S
F N Y L P P U S R E T A W D E
J O S T S O P M O C C O L H P
```

RELIGIOUS LEADERS

BOOTH

BROWN

BUDDHA

CALVIN

CARTWRIGHT

CRANMER

FILLMORE

FOX

GRAHAM

HERZL

HINCKLEY

ISAIAH

KNOX

LOYOLA

LUCIUS

MOSES

PARHAM

RUSSELL

SCHWEITZER

SMITH

ST PAUL

WESLEY

ZOROASTER

ZWINGLI

```
Q H T G S P N T Z H K R L G E
P T X I L U A P T S E L Y R H
Q O H L U I I O E T J E E A D
F S Q G S X O C S V L L R H L
C O M N I B B A U S A K O A O
O R N I J R O R E L Z N M M Y
R R U W T R W W O I N O L E O
U E K Z O H N T H W P X L H L
Y G M Z I R I Y R O N K I C A
Q A M N S N V M L A C O F M L
M H A R A D L U F N C X W O L
X D H F I R A J I F B X Y S Z
V D R G A S C H W E I T Z E R
B U A W H N U J L C G N V S E
R B P R U S S E L L I F I X H
```

GEOGRAPHICAL FEATURES

ARCHIPELAGO

ATOLL

BROOK

CANAL

CAULDRON

DESERT

FISSURE

HILL

ISLAND

ISTHMUS

LAKE

MARSH

MOOR

MOUNTAIN

OASIS

PENINSULA

PLAIN

RIDGE

RIVER

SANDBANK

STREAM

SWAMP

TUNDRA

VALLEY

```
U S R K Q K N A B D N A S I S
Z Q I V A Z D A V A R I F J W
G U D H H N L A S L Y I A B A
A V G I A J L C C U S B V L M
N S E L C L A J L S U A W E P
W S S L E U E M U N M L L B R
B I T Y L F T R D I H Y E W V
K S L D N U E S I N T R D G N
P A R L N F L T R E S E D L D
F O Z D O G A L E P I H C R A
N J R J K T N B P N S G X J Z
O A S O B R A S L R U C R H T
D X O Z A L C A A L I R O O M
B R N L A K K M O U N T A I N
B K B M A E R T S E T R O A M
```

EXAMINATION

ANALYSIS

ASSESSMENT

CANDIDATE

CHAIR

DESK

END OF TERM

EXAMINATION

FAIL

FINALS

GRADE

KNOWLEDGE

LESSONS

NERVES

PAPER

PASS

PENCIL

PRACTICAL

REPORT

RESULTS

REVISION

STRESS

STUDY

SURVEY

UNIVERSITY

```
K R S H W N G Y R L T O F U L
S Z W Y G Z Q V E A C H A I R
N T R E S U L T S V R S S A P
O S U G A M A B S T R E S S X
I E J D S L A N I F N U P A C
T V S E Y G N D V D Y E S A B
A R I L Y L E O O T N S N M P
N E S W A S E F I C E D L R Q
I N Y O K R T S I S I Q A C E
M W L N T E R L S D I C Z D R
A D A K R E C M A O T V A W E
X N N M V U E T W I N R E V P
E F A I L N E T C T G S T R O
J V N J T Z G A Y W U G U F R
J U E I A E L B T T F O L T T
```

PEOPLE

ADULTS

BEINGS

BROTHERS

CHILDREN

CITIZENS

CLAN

COMMUNITY

COUNTRYMEN

DWELLERS

FAMILY

FOLKS

HUMANS

INHABITANTS

LOCALS

MORTALS

NATIONALS

PERSONS

POPULACE

PUBLIC

RANK AND FILE

RESIDENTS

SISTERS

SOCIETY

TRIBE

```
I O Y C I T I Z E N S H N P N
H E L I F D N A K N A R E M E
U I L L B D S R E H T O R B M
M N O B H J T R I B E X D S Y
A H C U T Q S D E B F M L N R
N A A P Y T B I W A I D I O T
S B L R L T N S M E N A H S N
S I S U E G I I Y A L P C R U
L T D F S S L N T T O L H E O
A A W H T Y I I U P E F E P C
T N G E F J O D U M A I V R N
R T R O F N Z L E N M H C A S
O S L I A W A C K N B O L O R
M K U L M C O Q B H T C C H S
S I S Q E U R H B G K S U I Z
```

BOATS

ARK

BARGE

CANOE

CATAMARAN

DHOW

FERRY

GALIOT

JUNK

LAUNCH

LINER

LONGBOAT

LORCHA

LUGGER

PUNT

RAFT

ROWING

SAMPAN

SCOW

SUBMARINE

TRAWLER

TRIREME

TUG

YACHT

YAWL

```
S Q M V Q W Y I T Y V G K M T
N R P Y V O A C R O U A N A X
D F F P F H W I L Y I H U V H
X I J T T D L T O R Z L J R T
G R N B A R G E O R P U A F R
R N H Q G O K K Q E Y Y A G A
E N I R A M B U S F S R K A W
N K K W K E C G N H A U N U L
I O U A O T O T N A A D N K E
L W R S H R S N U O K U H Y R
U K T C O I A U A R L C T H F
G V A O M R M P Y C N H X U O
G Y S W N E P E U U T D Y W G
E N A R A M A T A C B H I A N
R S X U O E N L O R C H A Q H
```

DRAGONS

D	H	N	Y	Q	V	H	T	N	A	R	A	F	A	M
Q	Z	I	C	Z	U	G	I	Y	Q	B	P	L	W	U
T	A	M	A	I	T	L	O	B	C	F	A	V	U	S
K	T	O	X	L	E	E	N	G	I	L	Y	D	S	H
M	E	O	U	A	C	W	O	M	A	L	U	Q	I	U
F	M	G	P	N	I	A	T	P	F	G	O	D	R	R
U	E	I	A	T	F	W	A	T	G	I	C	Y	G	J
H	R	G	N	O	L	D	N	A	L	Y	A	M	S	Y
A	A	G	L	A	U	R	U	N	G	D	R	B	N	G
K	I	L	G	K	O	M	O	Z	N	R	D	N	H	U
U	R	A	U	O	R	P	B	L	G	E	A	Y	D	A
R	E	E	J	O	H	T	G	A	K	D	P	W	I	M
Y	V	D	Z	G	X	D	Q	D	A	H	T	A	C	S
U	E	R	Y	F	E	C	I	O	I	G	C	J	Z	K
U	T	M	U	W	M	T	M	N	E	M	E	N	T	H

APALALA
DANNY
DRACO
DULCY
FARANTH
GLAEDR
GLAURUNG
GRISU
HAKURYUU
ICEFYRE
IGNEEL
IMOOGI
LADON
MAYLAND LONG
MNEMENTH
MUSHU
NIDHOGG
SCATHA
SMAUG
TEMERAIRE
TIAMAT
WAWEL
ZILANT
ZOMOK

REPTILES AND AMPHIBIANS

ADDER

ALLIGATOR

AXOLOTL

BUSHMASTER

CAYMAN

COBRA

ELAPS

GECKO

GLASS SNAKE

GOLDEN TOAD

IGUANA

JARARACA

LIZARD

MAMBA

MATAMATA

NEWT

PLATANNA FROG

SKINK

SLOW-WORM

STELLION

TORTOISE

TUATARA

TURTLE

VIPER

```
R C Y X G S T E L L I O N L P
T Z F C P O L B S O K K T L A
R O T A G I L L A R Z O A Q N
F H L R G R O D E R L T P R A
T E H D E W R D E O A B Q E U
W L I P W A D W X N U T K X G
E G I O E A C A N S T A A C I
N V R Z G V T A H U N O O U A
P M I A A A F M R S D B A G T
Q P S P M R A Z S A R C H D T
R A Q A O S D S T A R A Y S O
T E T G T U A J Y I M A Z K K
M A R E X L A B M A M Y J I C
M G R N G S C N C A Y M A N E
E S I O T R O T U R T L E K G
```

GHOSTS

APPARITION

BANSHEE

BOGEYMAN

ESSENCE

EXORCISM

GHOST

GHOUL

GYTRASH

HAUNTING

INCORPOREAL

MANIFESTATION

PHANTASM

PHANTOM

POLTERGEIST

PRESENCE

REVENANT

SHADOW

SOUL

SPECTRAL

SPIRIT

SPOOK

VISITANT

WRAITH

ZOMBIE

```
R E V E N A N T A N C E N H K
G T C T N O I T I R A P P A S
L S J N G B Z M C Y H H X Q C
A I G A E N A M Y E G O B D I
R E N T L S W H S A R T Y G L
T G I I W F E H T I A R W A V
C R T S O H G R N M C F E P N
E E N I D Z H V P M E R H M B
P T U V A E L K Y C O A O A E
S L A S H Y U W N P N T N X Z
P O H X S L O E R T N S O O E
I P I F U L S O A A H A M C O
R K O O P S C S H E M B N T N
I T H M E N M P E F I A Y S Q
T G N O I T A T S E F I N A M
```

GIRLS' NAMES

ANNABEL

ANTHEA

ANTOINETTE

ANTONIA

BRYONY

CLAUDIA

DAISY

DEANNA

EDITH

GWENDOLINE

HYACINTH

JOAN

LYNETTE

MARTHA

MILLICENT

MORAG

NATALIE

NATASHA

ROMA

SERENA

SONIA

STELLA

YVETTE

ZOE

```
O H J A E H T N A B U U K V Z
A S W A N J P H S L U R H C W
O N A I X N T E J D H J Y Q X
B R T N A T A S H A R A A F K
H J O O M O Q B S G N A C T A
C R H T I B S H E N L G I I E
I W H N L N A T A L I E N K N
R D N A L V E E E E A O T Y I
R O Y S I A D T S T S X H H L
G Y M N C D S W T T E Q E M O
U N A A E T U S S E R Z O A D
J O L B N D D A I V E L Z R N
J Y Z H T M I Y L Y N E T T E
C R S V R G O T B C A P Y H W
W B U L T R K S H E M O R A G
```

ALL THE SAME

ALTER EGO

ANALOGOUS

CARBON COPY

CLONE

CORRESPONDING

COUNTERPART

DITTO

DOUBLE

EQUAL

EQUIVALENT

FACSIMILE

IDENTICAL

MATCHING

MIRRORED

PAIR

PARALLEL

PHOTOCOPY

REPLICA

SELFSAME

SPITTING IMAGE

SYNONYMOUS

TWIN

UNALTERED

UNIFORM

```
T P U T R A P R E T N U O C F
H C O R R E S P O N D I N G L
Y A N M I R R O R E D D T W A
Y R I A L T E R E G O O N J U
I B W Y A Q Q R P N X U L E Q
T O T T I D U C L N O B V L E
N N M I D E N T I C A L I E Y
E C A D K K I N C L B E C L F
L O T S E L F S A M E G Z L E
A P C S Y N O N Y M O U S A H
V Y H E D E R E T L A N U R P
I A I E L I M I S C A F R A A
U T N T K Y P O C O T O H P I
Q E G A M I G N I T T I P S R
E H N N O V A N A L O G O U S
```

FLOWER ARRANGING

BASKET

BERRIES

BOWL

BUNCH

CARNATION

CORSAGE

FERNS

GERBERA

GRAVEL

GREENERY

NOSEGAY

PEBBLES

POSY

POTS

ROSES

SAND

SHELLS

SOIL

SPONGE

SPRAY

STEMS

VASE

WATER

WIRING

```
L E J A Q W L F J L S F J V X
Y H X Q D E A S H C N U B R J
S S X R V G P T E K S A B B W
L X O A U R K L E A X Z I R I
O C R P A E B E R R I E S O R
T G Y Y Z Y T N W E G V M S I
C A R N A T I O N B Y Z A E N
I Y E H F S Y R O R S N A S G
R A N U N B L W U E T P Q E E
F G E S O I L L G G E F G U K
Y E E S A N D N E B M A T L S
K S R A A J O W B H S V S T S
N O G N V P E L C R S T L N T
G N X Q S A E Z O L J S O S P
D W I H Y S C C F Z U A F P N
```

BREEDS OF CAT

BENGAL

BIRMAN

BOMBAY

BURMESE

CHARTREUX

DEVON REX

HAVANA BROWN

KORAT

KURILIAN

LAPERM

MAINE COON

MANX

MUNCHKIN

OCICAT

ORIENTAL

PERSIAN

SCOTTISH FOLD

SELKIRK REX

SIBERIAN

SOKOKE

SOMALI

SPHYNX

TABBY

THAI

```
N A M R I B N L H F Y R A A G
Z V M M N A I R E B I S C C U
V W A F O W A O B S O K O K E
X N D G H C H A R T R E U X L
X E I L Q A T T Y I C Q X X A
X N R M O D V N W A E R R B P
Q O J N U F K A A T B N N O E
G O S B O N H E N I A M T O R
Y C P E A V C S S A L R O A M
O E H N Y D E H I E B I O B L
C N Y G E A O D K T M R R K H
I I N A I S R E P I T R O U R
C A X L J E W V M B N O U W K
A M S E L K I R K R E X C B N
T M F E J H Q S O M A L I S Y
```

MICHAELS

ATHERTON

BALL

BRADY

CERA

CORLEONE

DOLENZ

ELPHICK

FARADAY

GATTING

GRADE

HOWARD

JORDAN

KEATON

LANDON

NICHOLSON

REID

ROONEY

```
K A R I Y K L W G U A C K T A
T A E Y Y A D A R A F A N N X
M T D L D S Z D C E D Z O G W
R H O Y P A A E I A I T Q O L
O E L Z Q H R U X N A D N T J
O R E S G A I B G E U A T R H
N T N N C A Q C K R O Y O O D
E O Z W O H T D K X S F D U R
Y N S E S E U T W F K N D G A
B A L L D U L M I S M I T H W
W D S Q O A N R A N S N B T O
T R K L F H R M O C G T M O H
N O D N A L C G L C H W I N Y
K J P I J S X I D G I E G C P
E N A L L I P S N D Q B R G H
```

SCHUMACHER   TODD

SMITH   TROUGHTON

SPILLANE   YORK

STICH

OLYMPIC VENUES

AMSTERDAM

ANTWERP

ATHENS

ATLANTA

BARCELONA

BERLIN

CALGARY

CORTINA

GRENOBLE

HELSINKI

LAKE PLACID

LONDON

LOS ANGELES

MEXICO CITY

MUNICH

PARIS

ROME

SAPPORO

SEOUL

ST LOUIS

ST MORITZ

STOCKHOLM

SYDNEY

TOKYO

```
S E L E G N A S O L T J A W M
J T D M J M S D W H Z O F M E
E N C O I W Y S C C T H K J L
D J R R M Z D I T S I G K Y B
C I A T L A N T A L R H E S O
M Y C E H U E U C L O N D O N
E A L A M E Y N O I M U U H E
T A D Y L F L W R P T D I B R
N O A R A P Q S T X S Y T S G
I R N A E M E X I C O C I T Y
L O T G H T L K N N P A R I S
R P W L V K S P A K K H N N E
E P E A T O N M C L G I Z R O
B A R C E L O N A T H E N S U
G S P U B M L O H K C O T S L
```

MIDDLE "C"

ASSOCIATE

BALACLAVA

BEACHED

CALCIUM

CRESCENDO

DEDUCTION

FLICKER

FRACTAL

GENOCIDAL

GLACIER

HOMICIDAL

INNOCUOUS

KILOCYCLE

KNUCKLE

LATECOMER

NOTECASES

PICCOLO

PREOCCUPY

RACCOON

RADICCHIO

RAINCOATS

REACTOR

SAUCERS

UNICORN

```
C S N Y P U C C O E R P L L S
V O R N J D R R X E A C M A K
J X L E Z E X E E C D N C T J
S B K O C D G S M S I D Y C E
T E C S C U G E N O C I D A L
A A V A L C A L A B C E K R C
O C M O G T I S A K H E N F Y
C H A E L I S P F C I R T D C
N E U L A O L C P H O J P A O
I D V N C N O T E C A S E S L
A C T I I I S U O U C O N N I
R R A G E C U I E L K C U N K
G T U U R H O M I C I D A L Q
E F L I C K E R N O O C C A R
R O T C A E R A N D C C O O A
```

CHILDREN

ADOLESCENT

BABY

BAIRN

BAMBINO

CHERUB

CHILD

DAUGHTER

INFANT

JUVENILE

KID

LADDIE

LASSIE

MINOR

OFFSPRING

PUPIL

RAGAMUFFIN

RASCAL

SHAVER

STEPSON

TINY TOT

URCHIN

WEAN

YOUNG ONE

YOUTH

```
R B X C N Y I Q K E V E G D K
A D G A E G Q D R R O N I M R
G Z E T I N Y T O T Q F Y E A
A W Q P D N O S P E T S C H S
M C T A D R N G X G C N H T C
U T N E A I S V N B Z R I U A
F N A Y L A C I A U L N L O L
F E F T X B R M R C O I D Y T
I C N A A P B C Q I T Y P N V
N S I U S I H O J R O S B U N
J E V F N I S J E V P H K A P
E L F O N J U V E N I L E I B
Z O O H R X A K S A V S H Y D
J D A U G H T E R E I S S A L
H A L K S B U R E H C E B D A
```

SHIPS' NAMES

ARCADIA

ARGO

ARIEL

BEAGLE

CAIRO

CALYPSO

ELLINIS

ESSEX

FRAM

FRANCE

GOLDEN HIND

HOOD

KON-TIKI

MARY CELESTE

MEDUSA

MISSOURI

MONITOR

NIMITZ

ORION

PAMIR

PINTA

RESOLUTION

SAVANNAH

VESTRIS

```
S I R T S E V P K S T H N X B
X W L E I R A C C A I R O R Y
E T S E L E C Y R A M J I M D
E L G A E B C X W M L O R O M
K F R M C D W A E X G Y O X I
S A E A R C A D I A O H P D S
S K S R T F U E H L L G R S S
N O O G W S R R K E D Z I A O
N N L P A R O A L V E H M V U
I T U X Q T A L M C N A A A R
M I T H I E I J N Q H D P N I
I K I N I N S A Z V I U L N N
T I O Y I G R S P I N T A A Y
Z M N S B F L Y E U D R B H R
O G R A I I J K X X O X H F X
```

PEAS AND BEANS

ALFALFA

BROAD

BUTTER

CAROB

DHAL

FAVA

FLAGEOLET

GREEN

LEGUME

LENTIL

LIMA

MARROWFAT PEA

MUCUNA

MUNG

NAVY

PINTO

PULSE

RUNNER

SNAP

SNOW PEA

STRING

SUGAR

TONKA

WAX

```
F R L I M A D P I N T O P W E
T F W B R A G U S F U S U R A
I A W O O L C P N I O M L T K
X O I R F E G H J A A V S A C
I A B A U N S S W L E R E N O
F T V C I T N U F D E P U U D
L A L R Z I L A Z N T G M C Q
A D T A U L L Q N A T U U U T
G S D A H F H U F H S E J M N
E R G K A D R W L N G N U M E
O Y R N O E O A O W Y S M R N
L U B O T R R W X H N V E A E
E Y S T R L P T V A Z L A Z E
T D U A A E S J P S C Z I N R
L B M Q A K U J F U M K R S G
```

AFRICAN COUNTRIES

ALGERIA

ANGOLA

BENIN

CHAD

COMOROS

CONGO

DJIBOUTI

EGYPT

GABON

KENYA

LESOTHO

LIBERIA

MALAWI

```
X P C N Y A C P P T U G O Q Z
R V O O A I Z Y J G O G V E R
I U M Y I B L C M J O N H Z C
D Z O Y N M U A H T Z G C O S
L J R X A A X L M A S C N G O
A E O L Z Z Y V B I D T H O C
D Q S U N G D J I B O U T I C
N W O O A O P X X M D N A H O
A A P D T R B A Y A N I E M R
G I I P K H Y A B G R S G A O
U B Q R S N O U G E C I Y L M
A I X U E C P S B H N A P A B
S M D K G G F I R T X I T W K
P A A N G O L A T J J F N I W
N N A C I R F A H T U O S A K
```

MALI

MOROCCO

NAMIBIA

SOUTH AFRICA

SUDAN

TANZANIA

THE GAMBIA

TOGO

TUNISIA

UGANDA

ZAMBIA

NEWS

BULLETIN

COVERAGE

EDUCATION

ENVIRONMENT

EVENTS

FEATURES

FINANCIAL

HEALTH

INTERVIEW

JOURNALIST

LOCAL

MEDIA

NEWSROOM

OPINIONS

POLITICS

QUOTE

SCIENCE

SPORT

STUDIO

SUMMARY

TELEVISION

TRAVEL

UPDATE

WORLD

```
G E A J U Z S C I T I L O P S
N W K T P A E C L E W Z A B N
T L A I C N A N I F Z G K I Y
E M L H S O Q L J E O W T H T
L E H A I D E M P A N E R T T
E S L D C M T Z D V L C S S E
V B U E M O A S Q L E E E I M
I T C M D O L T U G T T R L N
S U O C M U O B R H A O U A O
I Y V N D A C R E O D U T N R
O Z E L B B R A S B P Q A R I
N T R A V E L Y T W U S E U V
N O A I N T E R V I E W F O N
W H G I H O P I N I O N S J E
S P E Y S T N E V E C N Y F H
```

TV QUIZ SHOW

ANSWERS

BUZZER

CHALLENGE

CHAMPION

ENTERTAINING

HOST

MEMORY

PLAYERS

POINTS

PRIZE

QUIZ

RECALL

RIGHT

RIVALS

ROUNDS

SCORING

SPEED

TESTING

THEMES

TOPIC

TRIVIA

VICTOR

WINNER

WRONG

```
J D R S W T M I B X M U Q M P
Y R Q W S J D F T O P I C F W
X I L O J W Y E Y Z P K U K Z
Y G H W R O N G E L I N D U E
C H A M P I O N W P V U W P G
I T M P L A Y E R S S I Q N N
G N I N I A T R E T N E I O E
D Q A V G Y E F W N M R S U L
R P I P R I Z E E A O T L V L
O R R R I Y R R N C N E A T A
T M O J E E R S S I T S V H H
C S F U Z C W O O C O T I E C
I L R Z N E A P M V P I R M J
V H U Y R D B L M E R N R E C
E B A S R O S J L Z M G Z S K
```

PRESIDENTS OF THE USA

ADAMS

ARTHUR

BUSH

CARTER

EISENHOWER

GRANT

HARDING

HARRISON

HAYES

HOOVER

JACKSON

JOHNSON

KENNEDY

```
A I U Q W R U C O N D N R R F
R A R T H U R B N C O E C G S
O E Y X C R I O C S T X A D S
L T W D G B S N L R J D I S X
Y R G O E N G I A R A A I N R
A U Y V H N W C B M G T F W E
T M Q O I N N B S B N P A M L
V A J D X N E E B C Y E J F Y
M N R G P N O S K C A J Q Q T
F A M Z K R T S I E C R E I P
H G H V T C H U I E B B V B F
C A N A J B S L T R K L O P P
L E S I Y A U D E O R N O M T
G R A N T E B J K A M A B O H
M P Q U J N S R E V O O H P S
```

MONROE   POLK   TRUMAN

NIXON   REAGAN   TYLER

OBAMA   TAFT   WILSON

PIERCE   TAYLOR

AFFIRM

AGREE

ALLEGE

ASSERT

AVER

AVOW

CERTIFY

CONFORM

DECLARE

DEFEND

DEPOSE

ENDORSE

MAINTAIN

PLEDGE

POSITIVE

PROFESS

PRONOUNCE

PROTEST

SAY

STATE

SUBSTANTIATE

SUPPORT

SWEAR

UPHOLD

VALIDATE

```
T C U V G T S E T O R P K B Y
V A L I D A T E E Y P E A M L
E G E L L A N V K X M P V L X
D N E F E D I D D A R X P A N
F A C N B T X E L O R E R R I
E E Q J I C O N F O R M O S A
T S G S P E T E D A H T N A T
A X O D N R S G L A R P O G N
T P Y P E S T C R O K Y U R I
S E Y S E L E F P W U F N E A
K Y S H D D P P T R S I C E M
T A E W P N U A V O W T E F Q
F D Q V E S T M K C F R S Y H
S U B S T A N T I A T E R A M
O X H K E S R O D N E C K A Y
```

HELLO

ALOHA

BOA TARDE

BOM DIA

BONJOUR

BUON GIORNO

CIAO

GODAFTEN

GODDAG

GOOD DAY

GOOD EVENING

GREETINGS

GRUSS GOTT

GUTEN TAG

HELLO

HIYA

HOLLOA

HOWDY

NAMASTE

SALAAM

SALVE

SHALOM

S'MAE

VELKOMMEN

WELCOME

```
P  K  N  V  A  S  G  N  I  T  E  E  R  G  J
Y  V  W  A  Q  Y  E  D  G  B  O  M  D  I  A
A  W  A  C  M  T  I  U  E  A  M  S  G  E  N
D  X  I  G  F  A  T  H  Q  C  Q  A  O  D  M
D  A  X  A  O  E  S  O  Y  G  Q  L  O  R  A
O  T  D  E  N  O  H  T  G  D  H  V  L  A  G
O  O  Z  T  W  U  D  R  E  S  W  E  F  T  W
G  F  A  U  A  Q  V  E  U  G  S  O  L  A  E
R  G  G  A  D  D  O  G  V  O  O  U  H  O  L
M  R  W  X  T  M  D  O  H  E  J  N  R  B  C
A  F  L  B  O  A  L  O  H  A  N  N  A  G  O
A  H  Q  L  G  O  L  L  E  H  G  I  O  T  M
L  T  A  V  E  L  K  O  M  M  E  N  N  B  E
A  H  B  U  O  N  G  I  O  R  N  O  P  G  W
S  J  R  A  D  U  W  A  T  R  J  J  W  V  C
```

MIGHTY MEATY

BACON

BRAINS

BRAWN

BREAST

CHICKEN

CHIPOLATA

CUTLET

ESCALOPE

FILLET

FLITCH

GAMMON

GIBLETS

GIGOT

GOOSE

GRAVY

HAM SANDWICH

HOT DOG

HUNG BEEF

JOINT

OFFAL

QUAIL

RAGOUT

SKIRT

TRIPE

```
P R V A N H T N O M M A G Z C
K U J T P T O R V L B R A W N
E H S S L B P F I F L I T C H
V A J A F Z Y A F K Y P R G O
G M B E Z N U F T A S G I I T
F S C R Q Q P S E Y L A P F D
S A Q B A T M F L G V D E E O
T N N C H I P O L A T A P E G
E D G P T O N O I Y J O R B I
L W H Y N B A S F I L C R G G
B I J W I U D I I A T M S N O
I C C N O C A B C R A G O U T
G H W W J K O S N E K C I H C
O J S Z V L E G L C V B S J D
J A T E L T U C E S O O G O F
```

DOUBLE-LETTER STARTS

AALBORG

AARDVARK

AARHUS

AARON

EELAM

EELGRASS

EELPOUT

EELWORM

EERIE

EEYORE

LLANERO

LLEWELYN

LLOYD

OOCYST

OOGAMOUS

OOGENESIS

OOGONIUM

OOLITH

OOLONG

OOMPAH

OOSPHERE

OOSTENDE

OOTHECA

OOZING

```
M U I N O G O O Q N B S C O E
C J K W X R O T Y J M I E O R
E N P J E O E L O R X S E L E
E N U N L Q E G O C E E L O H
I L A I N W I W G A E N G N P
Q L T G E U L A A Q G E R G S
L H L L G E N X M R O G A V O
J F L P E A Q S O E O O S G O
G P O H E O B B U O T O S N M
T S Y C O O L Q S E H J K I P
L C D A F A P E M R E K R Z A
O O T A A R H U S O C E O O H
K R A V D R A A F Y A G R O C
K O Z M T U O P L E E D Y I A
O A O O S T E N D E E L A M E
```

HERALDIC TERMS

ANNULET

ARMS

BLAZON

BORDURE

CAMELOPARD

CHARGE

COCKATRICE

DORMANT

EAGLE

EMBLEM

ENSIGN

FIELD

GRIFFIN

LION

LOZENGE

MOTTO

MULLET

ORLE

PALL

PILE

REGALIA

SALTIRE

URDE

WIVERN

```
W Y G A B C N O Z A L B S A X
T M K B Z S H J N S M E V T D
D O T T O M D A O A U I C E R
E Y X J L R N E R X L N A L E
U C F D O T D E G G L A M U G
E G I E L I P U A M E O E N A
R B M R N M N Q R C T N L N L
I S W Z T S N I Q E M D O A I
T V S M R A I N F A S L P I A
L L A P E O K G R F H N A P L
A Y T U F M R C N E I N R L E
S W R I R V B L O O V R D A T
B D E X Q I D L E C J I G B I
E L O Z E N G E E L T L W T H
D O R M A N T T K M E J Q C T
```

"NEW" STARTS

NEW AMSTERDAM

NEW DEAL

NEW DELHI

NEW EDITION

NEW ENGLAND

NEW LINE

NEW LOOK

NEW MEXICO

NEW MOON

NEW PEOPLE'S
ARMY

NEW RIVER

NEW SOUTH
WALES

```
N N E W E D I T I O N C N T N
N E X K O O L W E N P E Z E S
N E W R I V E R P U W N W E I
E T W L N N W L O S E S L V H
W A N N I G S R A W R A A A L
N G F E E N G G A E W X B W E
E W Z W A S E M A H D E J W D
W E Q Y W N S D T W F W N E W
Y N Q E T T E U F P E K E N E
O P N A E R O N E W T O W N N
R Y M R A S E L P O E P W E N
K X D V W W N E N E W M O O N
A A N E W E N G L A N D N E W
M F N N E W S W R I T E R B G
N E W B O R N E W M E X I C O
```

NEW TOWN

NEW WAVE

NEW WORLD

NEW YEAR

NEW YORK

NEWBORN

NEWGATE

NEWNESS

NEWSAGENT

NEWSGROUP

NEWSREADER

NEWSWRITER

BENS AND BENJAMINS

AFFLECK

ALDER

CASTLE

CHONZIE

COHEN

ELTON

FOGLE

GOLDACRE

GREEN

GURION

HOGAN

HUR

JONSON

KINGSLEY

LAWERS

MOOR

MORE

NEVIS

PLATT

SANDS

SHAHN

SHAW

STILLER

WATERS

```
H E V P Q E I Z N O H C B P E
D V N G O L D A C R E H L R Y
M W T D Y G U R I O N A O Y V
O P Y T V P V I S B T M W S J
O K I E B L C A S T L E R W U
R F C E L G O F S X O E Z A O
L A W E R S C K H A T K D H J
R S W L L O G U A A X N L B U
N T I P H F U N W Y O G L J V
S I V E N G F Y I T U B S O E
B L N Y N N R A L K A J D N X
G L V C H V R E D L A R N S C
X E F A H L D L E A A Z A O Q
R R H U N A G O H N K Z S N I
X S R L S H N G Y G Y A I X G
```

ORCHESTRA CONDUCTORS

ALSOP

BOULT

CHALABALA

DANON

DAVIS

DORATI

FURTWANGLER

GIULINI

HAITINK

HOGWOOD

HORENSTEIN

JANSONS

KATZ

KRAUSS

MITROPOULOS

MONTEUX

MOTTL

MUTI

OZAWA

PREVIN

RATTLE

SIMONOV

SOLTI

STOKOWSKI

```
I N S L W I M Z O J Q I S Q U
K A I J E L I N A Z L T O X Z
S K M V R A T T L E L A L R I
W N O B E H R T S U N R T K B
O K N S N R O R O R A O I N G
K J O N H C P B P M N D D I U
O N V O Y W O V I V A O N T Q
T O O S V H U D V F O I K I L
S E Z N Y U L K V W L A O A R
S I Q A A W O N G U T S Y H I
U K V J W D S O I Z O G X Q D
A V I A R A H G M O N T E U X
R Y T U D N I E T S N E R O H
K F U R T W A N G L E R C O I
N Q M M A L A B A L A H C T T
```

LEPIDOPTERA

APOLLO

ATLAS BLUE

BRIMSTONE

BUFF TIP

CABBAGE WHITE

CARDINAL

CATERPILLAR

CLEOPATRA

COMMA

DANAID

DRYAD

EMPEROR

GHOST

GRAYLING

HERMIT

KNOT GRASS

MONARCH

MOTH

PEACOCK

PUPA

RED ADMIRAL

RINGLET

RIVULET

SWALLOWTAIL

```
P  Y  R  F  A  Z  V  V  U  H  H  R  R  E  X
I  T  E  L  G  N  I  R  C  C  I  T  U  R  R
T  L  D  A  Y  R  D  R  O  V  T  L  O  V  A
F  I  A  H  P  O  A  M  U  S  B  R  R  M  L
F  A  D  C  R  N  M  L  O  S  E  I  K  E  L
U  T  M  C  O  A  E  H  A  P  J  L  N  O  I
B  W  I  M  D  T  G  L  M  N  D  K  O  L  P
K  O  R  Q  I  A  T  E  I  L  I  B  T  L  R
C  L  A  R  A  A  C  N  D  J  U  D  G  O  E
O  L  L  E  N  O  T  S  M  I  R  B  R  P  T
C  A  B  B  A  G  E  W  H  I  T  E  A  A  A
A  W  A  X  D  T  J  W  K  F  P  Q  S  U  C
E  S  I  X  B  H  E  R  M  I  T  U  S  I  I
P  X  A  H  G  R  A  Y  L  I  N  G  P  M  J
C  L  E  O  P  A  T  R  A  S  L  Z  S  A  X
```

BOARD GAMES

BLOKUS

CHESS

CIRKIS

CLUEDO

CONNECT FOUR

DOWNFALL

DRAUGHTS

HOTEL

KINGDOMS

LOST CITIES

LUDO

MASTERMIND

MEXICA

MONOPOLY

PATOLLI

QWIRKLE

SCRABBLE

SORRY!

SQUARE MILE

SUGOROKU

SUMMIT

TANTRIX

TROUBLE

TSURO

```
A T R W O E L K R I W Q Q S X
W F F G O R G O D E U L C M C
Y A B D R A U G H T S O E O D
K R U L S I K R I C N P J N N
R L R G O M S X W N P S I O K
S O J O E K I N E A M M U P F
Q S H Y S R U C R O R D K O R
U T F L T J T S D E O M O L I
A C S N F F T G T W E T R Y L
R I A O O I N S N X S R O J L
E T Y U M I A F I U S O G N O
M I R M K M A C R U E U U I T
I E U M G L A O J R H B S G A
L S T J L H O T E L C L R T P
E D E L B B A R C S T E U Y D
```

AMPLE

ABUNDANT

ADEQUATE

BIG

BROAD

ENORMOUS

ENOUGH

FLOODS

FULL

GALORE

GENEROUS

GREAT

LARGE

LEGION

LIBERAL

MASSIVE

OVERFLOWING

PILES

PLENTIFUL

PROFUSE

RICH

ROOMY

TEEMING

TOWERING

WIDE

```
Q Q G J K T E E M I N G T Y U
K E G O G N I W O L F R E V O
N I G X E I O X X H S N N H B
B G Z N D R I I D C D Y O C I
R P M Y I G O K G P O D R I B
S S Y O W R F L L E O Z M R L
E Z E N D E E E A R L C O V A
L R G L H A N W Z G F A U J R
I F R H I T O N O R D P S R E
P X A D I T U Y X T O R E R B
X O L F V N G E N E R O U S I
N I U Q W R H E A P M F M S L
J L L L U F B N H H O U O Y G
A B U N D A N T M A S S I V E
I H T M L L E T A U Q E D A U
```

"PETER PAN"

CARTOON

CLOCK

CROCODILE

CURLY

GEORGE

GREEN

INDIANS

JOHN

JUNGLE

MARY

MICHAEL

MR SMEE

NANA

NARRATOR

NIBS

PIRATES

PRINCESS

STORY

SWORD

TEDDY BEAR

TINKER BELL

TOOTLES

UMBRELLA

WENDY

```
Y E A N A N F S C N U V N E S
T N G Z D A O Q S E E X L G E
Z E O R L L I M W E Z E P Z L
Y S D O O L S B I N C O R S T
R Z E D T E E S B C E N K G O
O Z B M Y R G B E N H U I L O
T C A R Q B A O R T D A G R T
S R K S O M E C N E A W E D P
Y O D M P U C A P T K R L L U
N C W E N D Y L R U C N I U J
V O G E O K S O O F Z D I P A
E D I N V M C W B C G B R T S
R I F M H J X V O W K Y A B U
P L J I R O T A R R A N L U R
D E L G N U J K I N D I A N S
```

ON FIRE

ALIGHT

ANTHRACITE

ARSON

ASHES

BLASTING

BLAZING

COAL

COKE

EXCITED

EXPLOSIVE

FERVENT

FIERY

GLEAMING

GLOWING

INFERNO

KEROSENE

LIT UP

LOGS

MATCH

PARAFFIN

PEAT

SOOT

WICK

WOOD

```
F G N I M A E L G W K G O H A
G N I T S A L B B X F N T Y H
S I S B Y J O Q F I R C O A L
L W I C K N B I E E C U O X J
C O O X A I O R F X R C S J P
K L G O V F Y N X P V V E Y T
Y G G S D F I L P L W N E Q P
T H G I L A J N F O E T X N I
P R U E C R F O Q S J H C Q T
X U K N W A R S O I F C I F M
Q O T K M P P R P V S T T L S
C R V I E L E A E E I A E M E
C R C A L K S S H S A M D R H
H E T I C A R H T N A R A F S
G N I Z A L B V K W H R I K A
```

ROMAN EMPERORS

ANTONIUS PIUS

AUGUSTUS

AURELIAN

AVITUS

CARAUSIUS

CARINUS

CARUS

CLAUDIUS

DECIUS

DIADUMENIAN

GALBA

JOANNES

JOVIAN

MAJORIAN

MARIUS

NERO

NERVA

NUMERIAN

POSTUMUS

PROBUS

QUINTILLUS

SEVERUS

TETRICUS

TITUS

```
D I A D U M E N I A N R I Q M
M Y D V T C A R A U S I U S N
A A T E R U E V R A R I S U N
S U R E V E S H I N N U K T A
G S R I T R N Q W T X S M I I
M S U E U R Y X I O U F A T R
U U I I L S I L M N H S J J E
P I I C D I L C I I S M O S M
R C H V H U A R U U O H R U U
O E K S S R A N G S C C I T N
B D P O Y C R L R P M Q A S B
U Z R G A L B A C I N K N U A
S E Y R J A Q S C U G I X G M
N E U N L Q J P O S T U M U S
C S E N N A O J K J O V I A N
```

FLYING MACHINES

AIRCRAFT

AIRSHIP

BALLOON

BIPLANE

BLIMP

CHINOOK

CHOPPER

CONCORDE

DRONE

GLIDER

HARRIER

HELICOPTER

HERCULES

JUMP JET

LANCASTER

MICROLIGHT

MIRAGE

ROCKET

SEAPLANE

SHUTTLE

SPACECRAFT

SPUTNIK

TIGER MOTH

TORNADO

```
H E R E T P O C I L E H O C F
T I G E R M O T H P A D H R N
N T S X E P R K Z R A I I O J
A K E H G D H E R N N D O T I
R D L G U J R I R O V L Q S T
M A U H X T E O O H L Q P P F
Q I C E T R T K C A D I B U A
R R R N I F S L B N H H G T R
E S E A P L A N E S O L U N C
P F H L G T C R R B I C G I E
P O B P G E N I C D B C K K C
O H P I G K A G E R A L K X A
H G L B Z C L R D L I T I V P
C M I C R O L I G H T A A M S
E N O R D R R T E J P M U J P
```

TYPES OF WOOD

ALDER

APPLEWOOD

ASH

BALSA

BEECH

BIRCH

BRIAR

CYPRESS

DEAL

EBONY

ELM

FIR

HAZEL

LARCH

MAPLE

OAK

OLIVE

PINE

POPLAR

ROSEWOOD

SAPELE

WICKER

YEW

ZEBRAWOOD

```
J W Z B E E C H T A F K M Q Q
N G F N L B N V S Y Z D W Z I
O L I V E E O L K F B R I E G
Q P M L P E A N Z L I R B B Y
J U Y H A B L C Y Z M R I R D
D A W O S E J J P A T L R A W
D A I G S C D E P A Q E C W R
C O P D T Y F L O L N Z H O H
F Q O P T P E U P D B A Y O C
G K Y W L R K T L E X H B D R
P U V M E E E Y A R K U H Q A
A G L X S S W Q R A Z B V L L
H S P C A S O O O E L W E Q O
U Q H H J E J R O H O C L T I
K A I W I C K E R D Y L M L Y
```

PREPOSITIONS

ABOUT

ABOVE

AFTER

ALONG

ASTRIDE

BEFORE

BELOW

DESPITE

DOWN

DURING

EXCEPT

FOLLOWING

FROM

```
F H P K B E D E S Z G J R F H
G J P N T C I W T N U E C P Y
A N R B H N Q I I I D Z B E N
S A I M R I U D Y N P X Z C K
E J G R O S R D U T F S X I P
Y E X J U A H T P E C X E K M
A O K O G D F B E F O R E D U
S F V E H W A T O C C H M N D
T E R I N T O L E P A S T T R
R O L O P E L L H R H I W U A
I Z E B M O L Z E A L A I O W
D D I E W R Y J H B C L T B O
E O D I Q C A E D O O O H A T
O O N Y R A L E E V U N I X Z
Z G N W O D Q E N E G G N Q J
```

INTO

NEAR

OVER

PAST

REGARDING

SINCE

THROUGH

TOWARD

UNDER

UNTIL

WITHIN

ANCIENT CITIES

ALEPPO

ANGKOR

APAMEA

COPAN

CORINTH

DELOS

EPHESUS

GADARA

JERASH

LABNA

OLYMPIA

PALAIPAFOS

PELLA

PETRA

PRIENE

ROME

SABRATHA

A	I	P	M	Y	L	O	Q	S	P	L	N	X	T	W
L	N	D	A	N	Y	A	W	Y	A	N	I	W	O	J
L	G	Y	S	U	A	C	D	K	B	K	C	B	F	G
E	B	O	O	E	N	E	I	R	P	D	E	L	O	S
P	C	O	R	I	N	T	H	A	A	N	G	K	O	R
E	M	O	R	X	A	G	E	S	L	X	O	C	Q	L
I	H	S	A	M	T	M	O	R	A	L	A	B	N	A
N	X	I	H	S	A	G	V	P	I	R	C	B	C	L
Y	D	N	T	P	F	Q	Q	E	P	H	E	S	U	S
K	F	A	A	A	V	Y	H	P	A	E	T	J	O	R
A	H	T	A	R	B	A	S	Y	F	K	L	E	Y	C
T	M	J	P	T	T	S	O	D	O	M	E	A	O	I
C	R	G	T	A	X	E	P	V	S	J	M	P	E	Z
T	U	O	B	M	B	L	P	R	A	R	A	D	A	G
C	N	I	Y	R	G	Y	D	Y	V	N	A	Y	X	H

SODOM

SPARTA

TANIS

THARROS

TIKAL

TROY

WINAY WAYNA

SOLUTIONS

1

```
F R C F T F Q T J E J C O W O
Y E V W I S E C R A C K C C B
S P L V C Q E R Q N M R A E Y
T A E L C F C J W T M R A D Z
K C I T S P A L S I I W E F I
G X D Y L S R U N C R M S Y E
I L S P O O F A A S O R Q R S
E L A T L L A T N C N V W E N
G Y T J B F U U V K Y F R N E
A Z R F O R I D D L E Y O O S
M C Z E E K R E N I L E N O N
S H I Y K N E X Q A Q Y H F O
G N S M D C M V S T U S O F N
A A A O Y D O R A P I A C U R
G H H G J L Q M J A P E P B A
```

2

```
G N I W D F W T P D E R H S A
Y N S Y L O N M N W M G A P I
Z Z A A I E S U O E S H L M N
Q H K E M F N E I D V P F U G
K E H G G A V T T G U W Z L R
T R E A Z C I S C E D L B U E
G S W T F E L R E X L W E U D
C H U N K T U M S E P P S T I
W Y K E U M E Q S E I O P Y E
F S P C B M N R S S B Z L P N
U Q F R B T O J O R T K I U T
F F S E O M R D R E J H N S A
O F R P F Z E N C V C N T E Z
U P A R T I C L E L J P E S F
M X D R A H S Z I I T I R P B
```

3

```
K P Y P X E N G S T J K C F G
T T G L Z J L X L E P B X P S
Q E U M U D O O K E T F Y U L
P R W N P G N Z H R V T R R Q
A R J D N X F U T H X A A R E
S A N B F E T G O S E C C I Z
E R H T I V L S X M O P I A D
O I E P I G S T Y D I O M L E
J U G K B H P Q K T Y E R D N
P M D T E C J A I V T E O Y U
G Z O L W A R R E N A H F U S
N X L D D L L I H R U E Q T T
A E N R P S K F T O M S V Q N
I O P L O F T H N I L L K I C
P M H N H U I Z H F Q T V F H
```

4

```
M L E S E I D E I W A L N U T
A C C F V D E G N B H C E E B
C R O T O N H N N I K P E S W
A U C P D S Z A L H S D R E X
S D O O I U W R H N S O G W K
S E N F O B M O A Z A T R A M
A U U T I Y M K S L M T E V M
R Z T M L L E L B K N E T G I
C H A U L M O O G R A Z N A K
Z M B R G K Q R O S E U I M R
F U E L P N B C E G T U W S A
X I V A Q I F Y L N M Q E H Q
T I L M U A I O J J R L O A Z
S M C I T R O N E L L A F L V
V F D O O W L A D N A S G E V
```

SOLUTIONS

5

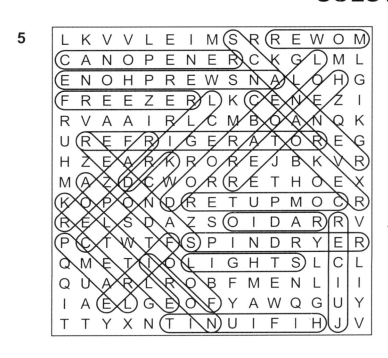

6

```
Y E V I S U L C N I Z M T T S
A L A W A R F Y A W E H T I T R
L H S P I C E Y U T N F O L O
P N T G N Y T R A P Y T E W R
O N H O T J U W C D F O U R S
N T B C S Y S T E M S G O Z W
D I Y E D K R O W K S L L S T
N F H O A D R P S N E Z U W U
A T D V Y P A P W O E I B O L
K E B B B L X O L W I X T L S
R L N E O P L F V I N Q A L Q
O L I N O E M W L N G N S A U
W I G C M V Q B X G I T F H A
Y N H I S R E M O C A L D S R
R G T O L D P R H R N D E K E
```

7

```
P T F R M T F U A F U E T L G
F W G U H R A E B S I E R O O
L V S V O N P C W F H L A U D
O S D G J Z O A T J S O E N P
W D M O J A N G B A I H S G O
E A C P G N Y R U R F X P E T
N D K H E D T Q L R D O E L P
O W O C H S A C L A L F L I U
L L K G E T I Y I T O Y L Z P
Y E L O E P L K S R C T I A P
D Y X L O A N S H A R K N R Y
G O H D A O R E H C P T G D L
C A T L I C K E H E A A B M O
K C U D E M A L D C E P E P V
C A T A N D M O U S E O E F E
```

8

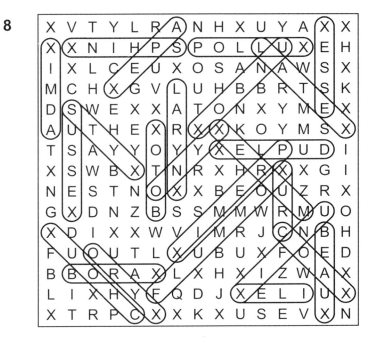
```
```

SOLUTIONS

9

```
I N X B R S E H C N E B A O Y
T N L S E A T M I R A M H R B
D O N J D F V A N F E C E K B
F I W U A T U C V N S T W D O
E T A B E D R E D B S H G O L
G O V I L G R M L N I T L V T
N M X L B H E A I P A R T Y T
I Y M L S N C M W O L Z R D E
T R X S T K T C B L I P M P N
T O X O R S P H W I B R B M I
I T K O E V W A H C E E P S B
S Z D W O D V M U Y R M Y M A
D G X T M E F B Y J A I O I C
E C E F T N Y E M W L E B C J
T S P O C S E R G H D R S Z Z
```

10

```
Q S C C L O U D S A N T T P L
A R Q O M H D X G U C H S U S
L A M J N W K E B N H G Y P H
A T I M S T S D Y W O I N G A
N S P A C E I R A E C N D S I
T K P S C J O N J I O H D S R
E C K C P O L K E A L O Z S E
R Y N Y M G T V C N A R G L D
N O T S T H G U O H T S L M Q
Y A A K T M K B H Y E E A T N
T D F S J J I G L G N P S T W
E P E M T N E R R U C S E O O
S W E M P Y T H H E U N E E R
N A T L O V H S F N E F S R B
T J D Z C C M C N E M N D Q N
```

11

```
A B E U C R I T H T E E T T J
C S A B A I D E M L F O D E V
N N D C C C X R M X W I W E J
W U E M T G H M V F C O S F S
A C A L I E O I U E N M M N Z
M L S U P E R N O V A E G E I
R E U C N O G I G G S E G B N
Y I G C V I E A A O E T C U T
T P H M I E N P H S C K Y L D
V V Y D S R E T E A G L A A N
F E A A C Y R F A T A R R E P
Y R W J E V A U H I T Y X P U
L G K Z R K P A C P Q O O Q E
X Z W G A A T A M O T U A F Y
K Y M I B U R E H C K F Y F F
```

12

```
G J E K U G S O B M R W S R W
X O Y E J R X C R A E K K F O
X B A R C R O P H R L Q E Z H
I S R U G F Q F C O B E I G A
L T R T S J H E W S O S N H L
D I A X Z V T R C L H L M O B
N N M I P E G J U R A M Y T X
J A B M H M S S E T Y I Y M C
Z C U O U Y U W R V O X G H X
M Y S A I R D L T E E Y S N L
M T H U R N D B C B T A Q A M
C R N U E M D E I J R S E L C
B A I S L F Y R R C M Z U C R
D X S N O I T A R U M R U M H
X K M T M W N Z X H S H O A L
```

SOLUTIONS

13

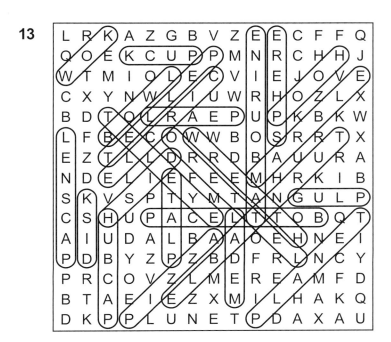

14

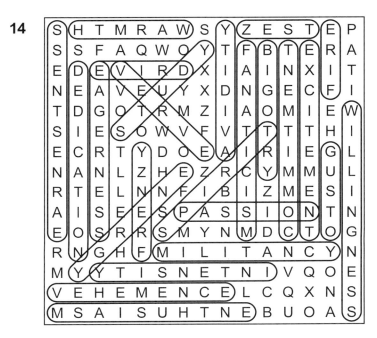

15

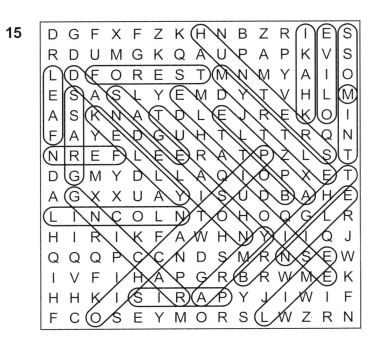

16

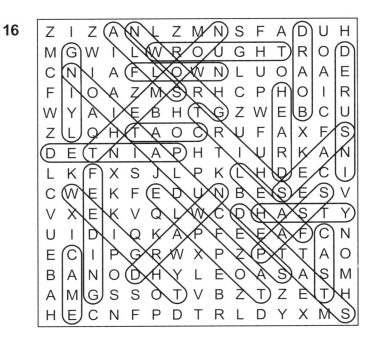

SOLUTIONS

17

```
S A O X O M H S Q A E N O K I
S X N D N S T V R Z P W W N B
L L L N A S S D Y E Y E K A R
L S S T U M S Y O E T C C X A
I L H R V L A D W N A S N M C
G K L E Z O U N E P I U Y Q K
Q S Q A L Q L S I C X C O O E
X I T H B F Y V N T E T R C T
C T D I Z F U R A L A I R O L
L O R U P G F B I O X E V X P
Y D R U B E V U V C S X Z E Z
L X N A M D M O P T O J K X R
L F I D L P L X E N O T T U B
E X X B F O E D I O K N N L P
J C C C R E S T G E O R G E S
```

18

```
S S S S E R P P O S C S S L S
S S O X Y J T X Q T X H R I S
S O I M P R E S S I O N E E S R
O Y C E A S S I G N M S Z S S
R B A S S P S N D I S T Z O S
C B L U S S X E S S E W A M B
A Z J I C O Y S L E D I B E Y
G N I S S E L B I H L N Y P A
X F E O S S X F S M T S S T S
S F U S S Y F C O S J R S K S
T S Z S E O J U E A S G O U S
H G K A R O S K L S Q M C W T
D U S L G S Y E S S S D C L S
D E S S E R T S E U S S I T X
F I W S S O P G H S S B H S O
```

19

```
O U T E L W Y I N I O E V R I
I N D U L G E O O I Z L E I N
F I N V E S T U U I N D E E D
E N A S N I T U S T I I N O T
W F L N S B O T A R V T Z C O
V I N O R R U U T Q U O E U T
I N I A A O F U T O W S T T N
I N C V W M F O I K W N G S E
C E O O D R A W N I D R O F
A N U U U N O C N V N T O U N
P D T T M T Z F I I G U O U T I
A I H T U T C N N N E O D R A N
B A A A Q O G A Q I S N T A G N
L R U K O U T L S B T I U G L
E Y L E P I R T S T U O O E G
```

20

```
H C T A W A S U D A M T V S F
A D A V E N A R R E I S E W T
U P D H S X F A H E N D H I I
G N P G A R K L N I A A N I N
I E K A W N O S K C I D R R U
J U N Y L T H N S H W Z E Y L
U U O X G A A A T N O E T E N
N M R B N H C E F Z N I Q P U
E G R A N Y B H A O R T R U K
S U R U A T B R I U B U U L A
E J V D H E K P P A V X R A D
V M K O C T Z W S M N L X D W
L X D U W O L K C I W K T A U
A U R U C N I Y C K W T W U U
S B M A G A L I E S B E R G U
```

SOLUTIONS

21

```
D F H M Q X A B I H S O T A Z
A G O D S A L O R O T O M G T
U G O I S A C E Y O T Z N S R
Q M I C R O S O F T E G A Y G
C C S O E U H A D N Q N V S R
T Q C W B N I C I S Y U P X E
H V S U E K U T R O U S N R E
J I P S O A H L A A N M O K N
J Z I N M D E P B S W A Q O O
D I L E Q S P P C A L S S T I
X O I M Q L W J S J H M L A P
T B H E E S L B R H O A C R S
K L P I I C I M E H A H M C E
M I S S I O N O T J J R N A F
J I L K J V N N O W O C P M Y
```

22

```
C A B K D E G A T S D E D N E
T F H F D O Z J N T O I R G G
V B D I I A J P O E D F Z Y R
D L E H L E T C R Y J O W T U
D E T F I L L E F Z T D O Y S
X O B X H O T D D R L H E F X
E T T A O S G Q E S S N Z D N
K F Z K L T Z N H M Z V M E Y
A G I O K A D C S N J S I D E
T N H O H B N G O C Z H X A J
G S W D K Y E D I M F P G O S
B R A I D W D H S A I N S L J
A D R C I P A U A P Z N N B P
C X D N U X R D K T W A G P B
N T D G Z Z G N I D N A T S N
```

23

```
Z D R C U W P E Y K J G C R F
M U R O T L U A S S A V I C E
G A G U H O O L I G A N I S M
I R V N B U R G L A R Y Q A E
K F G T W N V F O R G E R Y H
K R Y E M B E Z Z L E M E N T
A T G R M A A K F E L O N Y Y
E F N F E O T E T K N Y Y C C
R E I E L B D T I R N N A A N
B H G I C I B D A I E R I R E
E E T E T C Z N O A C S A G I
S Z U I Q A I L R O K X I S P
U W M N P V L A N K H C T O D
O O J G N I L A E D G U R D N
H X L T V P E R J U R Y E X I
```

24

```
Q R S V E E E K O R E H C M U
F I A T M Y E I R O Q U O I S
D H U R O N R M A R A P A H O
O J U Q A W C O G J P M I A L
C X N F Y F Y H Y A K I M A B
H T O O F K C A L B W U G F E
O H T I W K R W N I Y S D J U
C X E P A Z O K C D E P O K P
T O T W X B W H M N O V Q X C
A O A V Q S I Z E L E T J U H
W R Y R X T A C N A C I H O M
A Q B Q A B A E H C A P A I V
S E M I N O L E E N W A P S T
B Z K B T Y T T X D A X S X Y
Z V A L N E N O H S O H S L Q
```

SOLUTIONS

25

```
X M B W P F J C U L J S X K H
D B U I Q Y F G G K T L H I G
B S I N G L E S U R Z O S W T
C A X E N I L L A I C E P S G
H W L W K S N I S I O V R L N
A W G L N C G Z W Y U V E O O
N L B E L H A H J Y P J S T I
C W K A T D E L T A E N S S T
E O D U S E T E B L A N I F A
T O P T L K B N D R Q A C H N
I D F I X O E N C A S I N O I
A D L E I H P T E P R A G U B
L B H R P P D Q B V G X A S M
D E T S L U C K Y E E S S E O
Q T J R H O L N V J T B P Q C
```

26

```
I Y D A E R X C P O S F J N I
V Z J D F K Z M Z J V E V D U
Y A W G E O A B N C U T N D U
T Z R S L C O E E K R N E S R
H V F F R L I R R A A W S V E
E Y H U D G T S T B J X I S J
G V P H N A K S I R K S K M U
R Z Y W I O H D B O B O S C H
A Y Z N N S F E E Y N L E A R
D O R Y E O T P K S M S R R T
E D A R R Y E O D D O O G H O
D E F O E Y E N R G N M O M F
F A V G S M E S B Y E A R S C
U E R U S M R O A D Y J P R D
R E T S A H U A I T Q U I C K
```

27

```
N A N C Y E L P A T K R A M B
P A X O L C C S S F Y Z D S U
H C R E P N U T P A N C K S C
H N E T W O L O Q E N F E H K
G H G W H T S O A R P L Q A E
A X B X B U K T O T B O U R T
K H L L A M R H A M T P I E X
H R T T R B G C U G F S N Z T
B J U H K N B B R E G O I T T
X C I L I M K A Z I X N O I N
U U S K S V F Z R B D P N B I
T X L M J R I Z F T S E R R F
D U I M A W M A D A D Y I A F
T I U L I D G R K N D H Z Q U
M N I G A F A D A C L A R E V
```

28

```
L S B E I U K N A B T H G I R
N I I L E S T L O U I S V V Y
M I U N L O T S I R B E L I E
U O A E E E R R E S S A L N G
S E N M T D S E S F L I I C U
E R E T R U T B L E A E J E O
E V L M M E A N M L S C D N R
R U L U A A G A I O I X J N N
O O A P I D R T W A C T O E A
D L G I Y A E T S U S A S S R
I K I W I H H R R U E R T A A
N J P S B S U R T E U W H A B
P L A C E D E S V O S G E S C
H V Z W R S O R B O N N E W W
F U E N T N O P J M O R T E M
```

SOLUTIONS

29

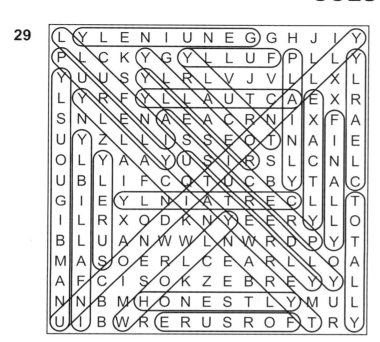

30

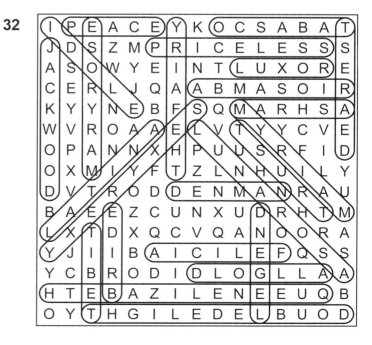

31

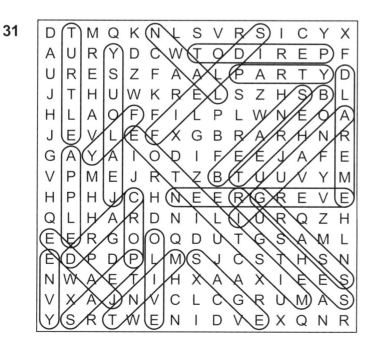

32

SOLUTIONS

33

```
T K H Z W H T E R A G B F B N
B R O T C E H R R E U T H E R
O O H S M D P N C D R A Z I W
R V Q C E E O T O L E C N A L
I L P G L L B L E O B E R S
S V O L A K L P F S B T D S N
E R E V E N U G I H M A T D
E A A N C Y I X C U I E H R D
S L U M G C R M R A E R A D
L E N O I L Q L U X N L L A
Q B O O Z B X U A E I N A D
Q E L S A F E R K V I N G R A M
D J X K P X D O A G I H W A R
Q Y Y Y X K B W Y Y R H E M O
K E L B A T D N U O R M C A M
```

34

```
E A U E J O X S B L E M M I X
H B A X I S U L L I P Z L U Z
C A T U F F O L I G K I G I R W
A E E T R E N I L O P I R T G
M K N Z F U S I L L I J M R I
U F O N E R O I F E R D A U Q
L I E F E Z E P E Z J M F E I
A L L T A P D A L V I T A Y L
S I L Y T R I K I G T O L W G
A N I E Z U U F A N K R R B I
G T Q I G C A U B O C E D G
N I S P D T Z C L T F H B K Z
A L X G O R O V I L I I X A K
V I I H C C O N G N E O D P P
P F C Y M J I T I K E M S G Y
```

35

```
L Y B S C K M V U G N X Q Z S
M T Y L F W A S Y H S D C R I
Y S S Y A T V M K S D G V F M
Z E X U C C Z S K C W V G R P
E N G E C V K G L B I I Z E L
M I P T L O P E F P W T R P E
V R W G E T L L Y R T T U P R
J J A E I E E V A O D E B O E
J O R W E A B E T I M H Y H N
M G E E S V P E B W C U T G N
A A T C D R I Q V G Y A A O I
N M D H C A T L N I N M I R P
P I R H T L N C J G H U L F S
U H F S T X W T F C W J D R T
N C E T O D O N A T A A P Q P
```

36

```
H J X P N W S N H D Q L I R N
E W W E W A V S Y E N M O R J
B A L W E N R I E R E A I N L
R M A A A Q E T I B E T A N K
I O W S P L T H H L C G I C L
D N Y O W N A T R O E N D E R
E I S N I I W D Z C G S X L Y
A T I I S S A W A O E E L Y
N N T R N S E Q G U T E U E R
M E T E P U E Q T L Y Q W Y F
T T O M L O T H E T U A E N D
B O C A J R D B F X T L O O Y
H C R E P O U M A S A I E S H
F I A U W A T N A N K K Q W P
Y S Z N A I M F D U B A Y O Y
```

SOLUTIONS

37

```
S T T E S R E M O S T T S E T
E H U I C S C X R F E R E T E
T I O E O M E O N S S E Y Y E
E C T T R M D T O F O V A P S
S K E S S H E M F O L L E A R
T S S E E F R P F R C E B S R
S E E S T A F B S L E T A E H
E T S B M M T O E T V E T T P
T C L O S E S E T Z R S E T T
A E Z F I S L E S E D R S E E
S M S A E D S O T N S O H R S
I M T T R S A E S E U D J N K
D G T E E O S R S T E S A E T
E E S N K J K S T E S D N A H
S U K T U O B A T E S S U G T
```

38

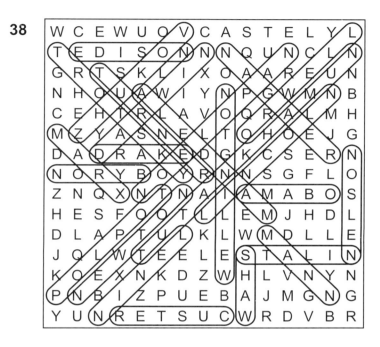

```
W C E W U O V C A S T E L Y L
T E D I S O N N N Q U N C L N
G R T S K L I X O A A R E U N
N H O U A W I Y N P G W M N B
C E H T R L A V O Q R A L M H
M Z Y A S N E L T O H O E J G
D A D R A K E D G K C S E R N
N O R Y B O Y R N S G F L O S
Z N Q X N T N A I A M A B O S
H E S F O O T L L E M J H D L
D L A P T U L K L W M D L L E
J Q L W T E E L E S T A L I N
K O E X N K D Z W H L V N Y N
P N B I Z P U E B A J M G N G
Y U N R E T S U C W R D V B R
```

39

```
P U W Z W C F G N I D L E W K
J U L C A N V A S S I N G C S
O S F S C A L L E R F X A C E
P O H T D E T R A E H P B F S
E R U A U Q D E L L O R B R A
S E Q R C E B P I F I C D O C
T S V T K S E D C M B G S N X
Z A E C W O N O Q N Q A H T T
T F E R Q G D H M T T S O T J
U Y C W P M S A T F N T U R O
R D H P S M E P I A C Y L C F
K B I Z C R O S P C D V D H E
E M S M C U H C P K O G E L E
Y O E N Q S T E E L K N R J T
U M L M M C N S Z G I P R M D
```

40

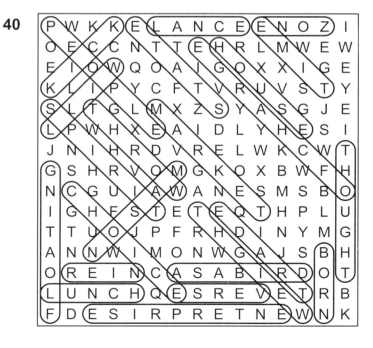

```
P W K K E L A N C E E N O Z I
O E C C N T T E H R L M W E W
E I O W Q O A I G O X X I G E
K L I P Y C F T V R U V S T Y
S L T G L M X Z S Y A S G J E
L P W H X E A I D L Y H E S I
J N I H R D V R E L W K C W T
G S H R V O M G K O X B W F H
N C G U I A W A N E S M S B O
I G H F S T E T E Q T H P L U
T T U O J P F R H D I N Y M G
A N N W I M O N W G A J S B H
O R E I N C A S A B I R D O T
L U N C H Q E S R E V E T R B
F D E S I R P R E T N E W N K
```

SOLUTIONS

41

```
P W B G N I C N E F P G V D O
M S N D R D S S E H C G B E U
U G S M O L A L S A N N S L B
J I O T J R Z R R I V I N S S
G O R Z H D T D T V O L O B F
N W O N I G S L L S L T W O T
O T J S Z B U Q U W L S B B E
L J C V G A I A B L E O Q U
Q U U S V N R N R U Y R A E Q
S L Z E O C I I G D B W R B O
U O L N H C R K G O A W D A R
A O X E R E C E L O L R I T C
P P R N U O Z E L A L G N O W
Z Y Y T N I H S R A W F G N Q
C M E F J O F N R F Y X O X J
```

42

```
S I R A Y I B A B D Z O K H N
M P V Y Y F S H S I T T O C S
A D R S H S I D D A K C R L K
S R V I E U G A R P P H N A D
E E D B N W P R Q Z K A N S J
B O E O B G A R L Q A T R S P
G B R L H S I L O P A L P I B
O J F G T S U A F R T E F C S
T S N H A K R X D C P A G A N
H R A D R N T S I R A R P L D
I P M X I T L T A E S S M H R
C X A T F I L J O C E A N Y F
T I T A N E X C C H O R A L F
V V S Z C I G A R T Y R F P X
S T E M O R U M A Y L I I Z O
```

43

```
D N G R Z R Q Q G E N F R J V
U O D B C C I N F E C T I O N
Q I E X A M I N E J V C N H P
J S T V E T W S Q Y W M W P O
K I Z C A P A R T Y S F O A L
V V E D U W I N D E E I T L L
B I B S P R I L N S T A G C I
P D A E F X I O O A L E D H N
F Q R E R Y B P R K S A G M A
X D S D E E R B I D H X U W T
F I R J A U V N A E P Z B B E
B O Z O P Z G O X G Y S I E H
E A G R W E R X E D N I L S L
A E R I W C M M B R Q U L J V
M C E L E G G E D X V A W D Y
```

44

```
H S I L G N E U C I T E O P T
J C X J Y O M P G E E F R A S
B I X A T N Y S R T A O U G I
Y T S G R A M M A R N M A E G
L N T R E E I I H U T J W S W
W A U Y X N G P N N E P H E T
G M G A O E N C A C I C G S V
K E I L L O I I N D M J L N E
B S O L C A R E I A V P A E L
C G O I T A R A G V L E M T I
Y C X I V E L S M U Z W R X S
N E O T F E L U R L Y O O B T
L N E E C A P A K G K R F K I
S X R T N C L B M A P D N Y N
T G E G H I S T O R Y S I Q G
```

SOLUTIONS

45

```
J N I U R H N U C C Y T V R S
D I S I N T E G R A T E T U A
T N F Z L E N R I I D U S M O
T T E D C N N M U V O P J H J
S D W R D I E X S T E G S H M
N P E P S Q R S U N P U H S E
A I N K E E D C D G R U P I L
P Z U W Y G I C K C E E R L O
O Z G N B N V W N L S S K O N
F K B Q J I I U G O P U C M A
F R R M W R D K L L I A A E M
A W E Z E F E C I N T P R D S
X S A V S N S T P P E O C Y I
F P C W E J U N R A V E L H D
X T H Q D S X A Z C S M A S H
```

46

```
L Y A L A D N A M N O I R O T
L Y H I P W L A M A Y Y N J N
C A Y D O Y W A L N M X M C Y
U E A S R V M Y R U C R E M R
U G L V U L R R Z O A N N E H
B R E M E N O U R R C T V C
M A C H B J I M T O R I A N A
V R G S N D A A G E O U N Y J
E O Z E E A N A G E R W G D J
N R B R S I M A C A S T O R Q
U U D D A A T N L H O O G Y H
S A A I R T A Z L T V G H N Q
M M D I A R C A D I A A H S D
J I N T F Q E C H A Y A J A V
C A S I L V E R W I N D L M E
```

47

```
L G E L B I S N E S L K E N N
S U C E E X L R E S E R V E D
W W F O V U N A S S U M I N G
W A I E C I R C U M S P E C T
K C R S R T T A C T F U L M I
Z O R Y E A D E L I C A T E C
U N E D I S C E R N I N G H I
D S S D I I S Z J C E K U E T
C I T A M O L P I D E E X E I
V D R G V S R N U E T S I D L
L E A E H H H E R B S S U F O
C R I N Y P M E H Q O I U P
A A N T C D E D R A U G L L M
L T E L F G O E S Q B Q H C Y
I E D E W M J U D I C I O U S
```

48

```
J G R X R A D I O D I A L K R
U R A C E H O R S E K C M Y O
E E C T D R A O B T R A D C T
N T I P T P I E C E R E T R A
O E N G H T H G I L F S L A L
H M G V C U Y U J C B Z P U U
P O C A S A T R G I L L L O C
E D A R Z G U A T R O S U M L
L E R Z G T A W V C R K E A A
E E V J E M V C R K E U A K C
T P H C E P O B O X T S K T X
H S I H S E L A C S P O U L A
Y R T P A G E S O X A D R E C
P A P O O L B A L L H U E C V
M P D I R G H C T O C S P O H
```

SOLUTIONS

49

```
E C S P S A P W C R H W T G
N E E B F G E B S Q P I H G N
W O R L A T U A S H B G Y A I
O A B P E S F R O L I C I R D
D A T F S B H N S N O Y R D D
E Y N S Y H R D G W Y B E E E
O E K R O C C A S I O N U N W
H F A C B E T N T P I C N I C
K V E Q I S M C C I N K I L M
E Y X S R G C E K T O R O I S
G H O O T E N A N N Y N N A O
A J E S H I N D I G W W Q S I
L J E L D Z V S O C I A L S R
A L L U A U B A N Q U E T A E
I G B I Y C E I L I D H R W E
```

50

```
A S A L P V U M T W Y Y R A Q
A T U N G V V A T B S A N L Z
T H E S W Y W R N D G L W A D
A Q S B E S Y Y S A A V F Z J
W Z Y I Q J O U H T A D U A K
R S U F L R M O H R A Q M R L
A A A K M E J O N A H E T U E
H R O L D J A E R Z S C S S A
A O O O R O A Q Z A O K O M
B H C S A M S O N A X M A Q H
D I E H J A E L S H E M L V Y
N P P U B I I I N S A F A Y L
H Y T J M O S E S L L I B I L
L A B A N C A Z L E Z A R E C
T Y G V C M J Z A B N Z H U N
```

51

```
Y K L U B E H D H V A S T O I
U D S U O I G I D O R P E B S
V E A M V M Y U M I L G P M U
I Z L E V I A T H A N H I U B
E I R D T T Z E T L T Y C J S
S S L A C I M O N O R T S A
T G N Y S O C G M U I L O A A
T N G E T I L M R T I V M B T
N I Y W M F A O A E O P A G I
A K N S A M E N S B A G S Y A
I M O I D N I H U S T T S V L
G C P A B C P M E W A C I A L
L Z O L M R P L M O C L V E E
R R A X E E M D Z T P L E H X
B U U Z R S U O G N O M U H V
```

52

```
N V H O G N O C A P E H O R N
I Z E B M A Z K L Q R Y R N M
H N O I T I D E P X E R A G O
Z I C T R W V J E A X E C L E
G B S A C Z B D S T P V S F M
C X K P S C A T L S L O A E C
I O F J A R F Z E T I O C G A C
R K M N T N R C M T R S A C R
T U O P L H I V A I E I D E M
H E J G A P O C A R D A C M M
S W U I S S A T L H S S M R A
K S L C J E S T R A V E L O C
T A H I T I P A T R O N T N C
W A T E R F A L L P J S B N N
H A E N I U G W E N A U P A P
```

SOLUTIONS

53

```
A L F O R N O Y Z X E Y R A E
C P R V I V I W A D J N M T U
X A B Y J C M Q A N I E U N H
C R G Y R S P L D T R O D E N
O I E A O K U Z A I R O M L E
C S F U R O F R C C G F M B E
O I S P R N G A N M L A U A D
T E Y O U I E O H A H I A D
T N R I A N E Q R C D Z S D N
E N F V E L T E O N F A Q U I
R E R R E Z N M E B Q I B G R
O H I E V T E X T N V P D F A
U N T L I J D A U S S O O V M
X P S N X G L N A Y Y D R R V
V G E V Y P A Y S A N N E J W
```

54

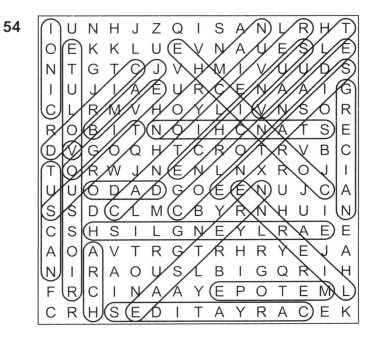

```
I U N H J Z Q I S A N L R H T
O E K K L U E V N A U E S L E
N T G T C J V H M I V U U D S
I U J I A E U R C E N A A I G
C L R M V H O Y L I V N S O R
R O B I T N O I H C N A T S E
D V G O Q H T C R O T R V B C
T R W J N E N L N X R O J I A
U U O D A D G O E E N U J C N
S S D C L M C B Y R N H U I N
C S H S I L G N E Y L R A E E
A O A V T R G T R H R Y E J A
N I R A O U S L B I G Q R I H
F R C I N A A Y E P O T E M L
C R H S E D I T A Y R A C E K
```

55

```
K E O E D E L I O B K B R H A
M L T K K W O B W C J S F K L
E S A E L P O T O C O U R T B
W G B S H X U R N H S E M I T
Z A S E N I L I V I N G T I L
H T R C T A C U K V S T W N M
M A T E J D I O P R E S S E D
Y U Y E E Q Q L V N D N V Y F
W R L D L T G M S E Q I L E T
L I A I Z L S N U X R U M T Z
O E Y O Q O E A I D C W Y R Y
H S A C L U C S F K S I D E X
G Q H Y N J O O I D R Q R T N
T Z E T A B Q R R N N O H A W
W A T S G N I L E E F A W W L
```

56

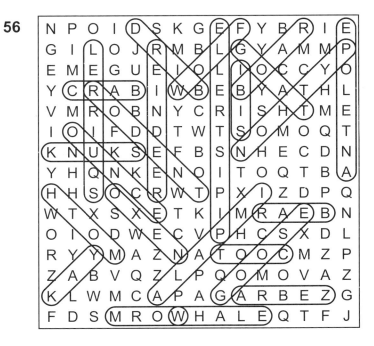

```
N P O I D S K G E F Y B R I E
G I L O J R M B L G Y A M M P
E M E G U E I O L I O C C Y O
Y C R A B I W B E B Y A T H L
V M R O B N Y C R I S H T M E
I O I F D D T W T S O M O Q T
K N U K S E F B S N H E C D N
Y H Q N K E N O I T O Q T B A
H H S O C R W T P X I Z D P Q
W T X S X E T K I M R A E B N
O I O D W E C V P H C S A D L
R Y Y M A Z N A T O O C M Z P
Z A B V Q Z L P Q O M O V A Z
K L W M C A P A G A R B E Z G
F D S M R O W H A L E Q T F J
```

SOLUTIONS

57

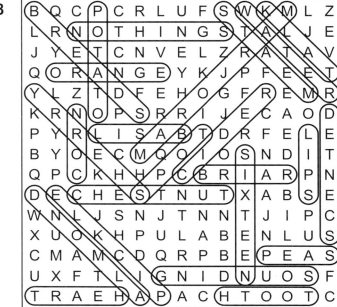

```
L H B R G P J X G H X E K F R
Q L R E L E C T R I C I A N X
D W N E A T W R L E Z A L D T
R S R N N A X Z E Y T B O S P
R E S I V O G N E V J R I C R
C J G G F H J F A U I N O E L
N U C N T F I V D M I R G P A
L K B E A W R G B H K G D A W
V B O L D R E E C X I C F I Y
K U U I M I U A H D Z A O N E
N R M V L T M O E S R U N T R
M S M I N E R V K R U A I E S
D A N C E R A C I V N L Q R K
R R I E F R Q E B S E Z N E E
S T U D G E R M V R S O W N R
```

58

```
B Q C P C R L U F S W K M L Z
L R N O T H I N G S T A L J E
J Y E T C N V E L Z R A T A V
Q O R A N G E Y K J P F E E T
Y L Z T D F E H O G F R E M R
K R N O P S R R I J E C A O D
P Y R L I S A B T D R F E L E
B Y O E C M Q O I O S N D I T
Q P C K H H P C B R I A R P N
D E C H E S T N U T X A B S E
W N L J S N J T N N T J I P C
X U O K H P U L A B E N L U S
C M A M C D Q R P B E P E A S
U X F T L I G N I D N U O S F
T R A E H A P A C H T O O T C
```

59

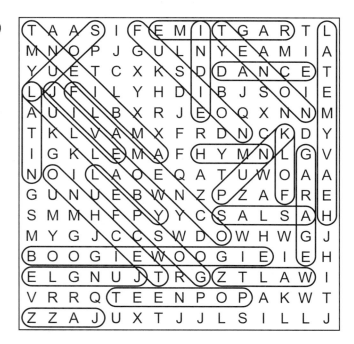

```
T A A S I F E M I T G A R T L
M N O P J G U L N Y E A M I A
Y U E T C X K S D D A N C E T
L J F I L Y H D I B J S O I E
A U I L B X R J E O Q X N N M
T K L V A M X F R D N C K D Y
I G K L E M A F H Y M N L G V
N O I L A O E Q A T U W O A A
G U N U E B W N Z P Z A F R E
S M M H F P Y Y C S A L S A H
M Y G J C C S W D O W H W G J
B O O G I E W O O G I E I E H
E L G N U J T R G Z T L A W I
V R R Q T E E N P O P A K W T
Z Z A J U X T J J L S I L L J
```

60

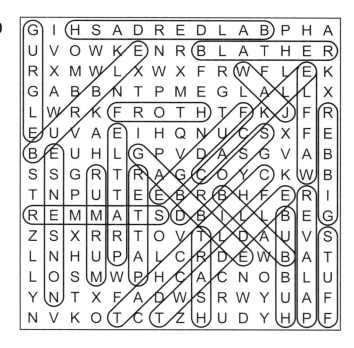

```
G I H S A D R E D L A B P H A
U V O W K E N R B L A T H E R
R X M W L X W X F R W F L E K
G A B B N T P M E G L A L L X
L W R K F R O T H T F K J F R
E U V A E I H Q N U C S X F E
B E U H L G P V D A S G V A B
S S G R T R A G C O Y C K W B
T N P U T E E B R B H F E R E
R E M M A T S D B I L L B E G
Z S X R R T O V T L D A U V A
L N H U P A L C R D E W B A T
L O S M W P H C A C N O B L U
Y N T X F A D W S R W Y U A P
N V K O T C T Z H U D Y H P F
```

SOLUTIONS

61

```
J O S O P J G N I Y E K C O J
E Y Y W L Y A K C D V P O J L
M J E T S A M D D E R E J A L
G R E L G G U J E G X N E E J
N N G V I U J Q J D E I S Y M
I M J J A G U A R U C M T J J
R J A W B O N E R J I S E M U
E J Y A E P B V O E D A R T I
B O E I S U O L A J N J K J C
U I W J J T H A U U I B A I I
A S O U E E J S J N A L O M E
J T J Y D L P I V E J I I J S
L I J C N E S W U J E J B A T
C N D O R E Y E J A I L O R N
J G A F J I M J Y Z O A J Q J
```

62

```
W Y O Y D I R G A H P W M S E
I F E X E O D O R G O B X L Z
Z I J L W L U Z S J V Y G Z T
A R S L S K D T U M T G Z S W
R E I T C A G A E J U Q T Q N
D N S H O K E Y R M Q R W I G
G Z R E A N T W G B A E R I I
N E E B E V E T Y K D E S L W
I Y B G B V I N R N H K Q I D
G O B L I N X A O T N Y N E H
R J A B Y D D O Y O Y I X A F
O J C V O H M L T K D H G B H
B N S T E D S E C R E T S S Z
R E G N A R G E N O I M R E H
M N T E R R Y B O O T P E H U
```

63

```
D L O B J Y B G M L T C U P Z
C C C M K S J Y E B H G A M E
V P I C P B Z J T U R A A U F
W Y U N D A U N T E D A N M Q
Q L T Q T Z A Z L Y Z A Z L R
P D N T I R P A E D F E D E T
Q A A D I A E A K R O T O T N
Y R I S H R T P A A V U U N J
K I L U H Q G I H Y L G A B
E N A O F B D M A D E O H I H
E G G R E L A C I O T S T L M
H S U O I C A D U A F E Y A H
C C Y L S H E R O I C R N V F
S L N A T H J F E A R L E S S
K G S V Y U H W J S Y K E B O
```

64

```
T P W L C Y L Q M X O Q X B H
F Q R I G A F M O S Z W J E C
L A Y S Z E D A T D T O L C T
D T U H T M N I B B G O N N U
X E A H N I M S Z A M A I E K
Z K I L G A W R P U B C G R Z
G Y R E E K I J W A O Q O W W
E F A K W U J B T Y R A N A X
E I N E Y D Z R A I F A A V L
Q N W E M A A E M R A I V T A
M L Z H D M K Z N Y A R E N R
B A R G N A I S R E P R O I D
U A K I N O L A S V M C A I S
Y D A R I E N J O L A M T S
C H I H L I E P T N A Y M D R
```

SOLUTIONS

65

```
G R U O B M E X U L O X S R Q
D N A L E C I M B U E E N F D
Z X K E G R E E C E T W W F R X
K A I K A V O L S A M U I R X
Y L A T I L A I T A O R C A Y
Y E E U N L I S W D P F F N R
U E L T B F D T S C B S A C A
A Q K A D E V L H E A M U E G
I Q N R T X O E L U R N G O N
N I F I U V S G P E A N A Q U
A F N G E D I O G S O N O D H
M U Q N O U L A P R O J I U A
O M I N M A E A W J I E A A V
R A I D N G I A D E N M A R K
F A E D J N Y L A G U T R O P
```

66

```
S I I H W V S R I K E G L P I
U S F S I V G E I T R N I F C
M B I X R I N A N E O I B I F
H L N M I P I I D I O K I V Y
T L G L S V N N U I D C S Y A
S I I I H N N A C L N O A D N
I A N O C M I W I I I L I E A
C X E V G E E O N L S R R T U
R J C Z E V L I G I A E E A G
B I I V W I L A S I O T B L I
I D N I I L G S N I S N O L W
A L R V L A U L N D I I R S J
R I A P M I O U E L A E D I M
J N I N N V R Q T N I Z J O N
I G Y G D E C I L L E W K N I
```

67

```
U O B P A H C R K A B S R R C
R F R P C B R I O C H E C T A
N T U N F E M S L D R S U O M
T T E F T S X I E R T K N A X
N R D I L B Z N K I A A X S Y
F W H L O O M G C M A G N T Y
H W O A S U K I N F O M S F
O R R R M N T R N E Q J V A X
Z D B M B Y U D R C E W D E A
X M A B N G N R E U N Y N Y N
H G G I A D S G P A T K I S Y
D A E N K K K V M S O N O Y A
R E L L I M E F U D O U G H R
C R O U T O N R P Z B M S E Y
E D J K B T C X J F T V B A E
```

68

```
K D L L Z P N E B I P E M D L
R R X E D Y P B A S K I N G E
E A I W L A C D K W V Z R X R
H P Q D B G E B W K V A N P E
S O Q C N L A H G L V U R K C
E E Y T L U I E R U M H R I A
R L E I B T V E B E S I S C M
H P R E E X Y K I I M K E K U
T F J T X R D U F B T M Y L U
M T I G E R Q G R S D Y A Y F
N P A E F E O A O D X Y H H E
I O F R R D M H T A N I G H T
W S M Z B B G Q T E P R A C
A N G E L E P A U L E T T E V
F S B E L B Z T G O B L I N G
```

SOLUTIONS

69

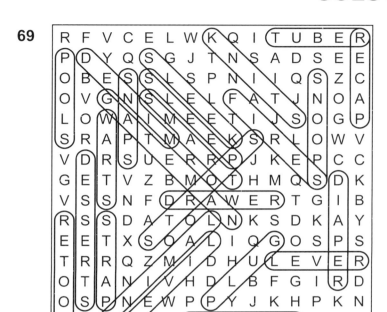

70

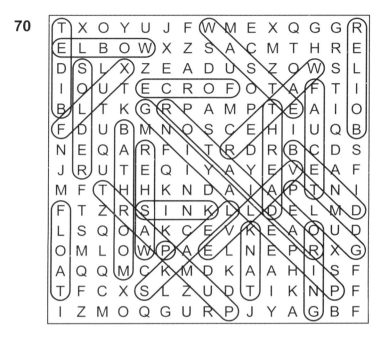

71

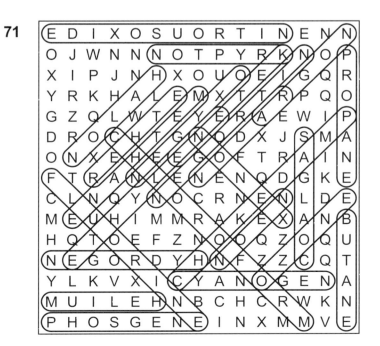

72

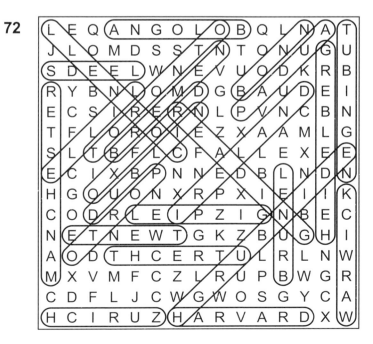

SOLUTIONS

73

```
D V P G (P O R T R A I T) D W S
(E A F G N I K N A L C) K C E M
(R M F (Y R E T S Y M) F R T A
E P L Z (N O I S E S O) E G R E
H I O E S A P S C S R F N U R
P R O K H E U A S R L L O C C
(S E R H L V R E O E Y A I T E S)
O W B L F E F R N L L S T C P
M Z O E D O T U R N W H I T E
T M A D R D Y M N B A L R O C
A R R P A V I E I H I I A P T
(S L D K X H A T Z H L G P L R
U A (S B A N S H E E) I H P A A
M (C O B W E B S P E N T A S L
A B Y Q G J (T S O H G U B M P
```

74

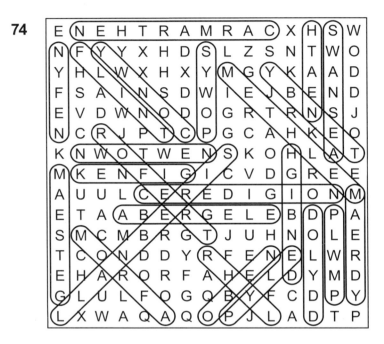

75

```
R (Y T T I W) (G N I B R O S B A)
G (L P L E A S I N G) Q Z (G O E
G R A B (M I R T H F U L) N Q Q
N A (H U M O R O U S) L E I Q G
I L G P G B Y N U T A R L N N
T U T N (C H E E R I N G) I K I
R (C O M I C A L) Y H O N U C G
E O E Y M X U B I E I T G H A
V J H E L X A L L A T Y E A N
I R R S O E A L T E A N B R N
D R A I I R V R E S E N D M E
Y V P H I G E I H R R U R I I
(Y L L O J T G E L) L C F O N G
K R U (G N I Y A L P) E N L G G
E S L E L Y I B W B R Y L N D
```

76

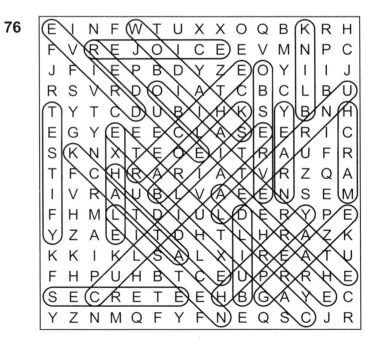
```
```

SOLUTIONS

77

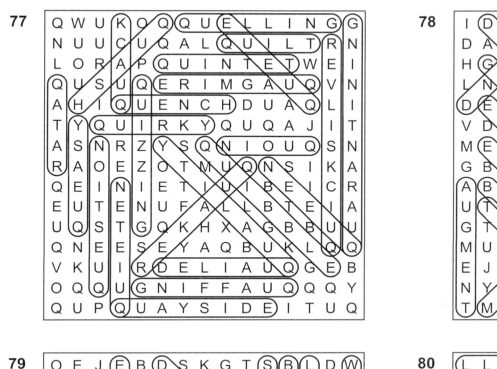

78

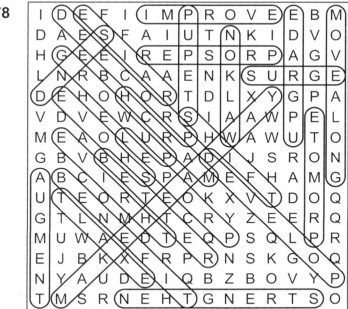

79

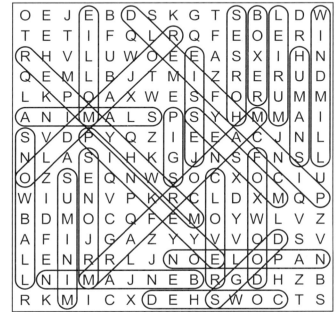

80

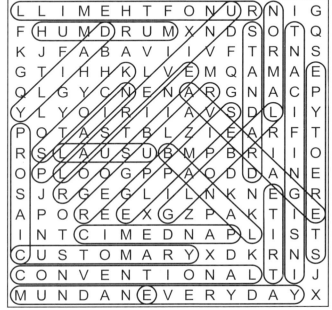

SOLUTIONS

81

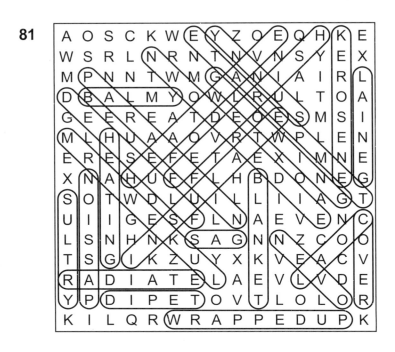

82

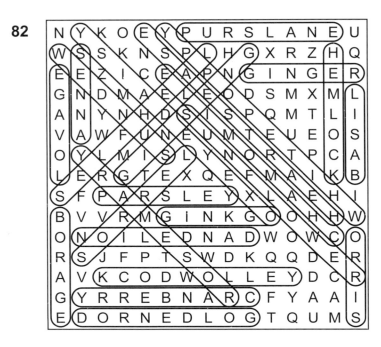

83

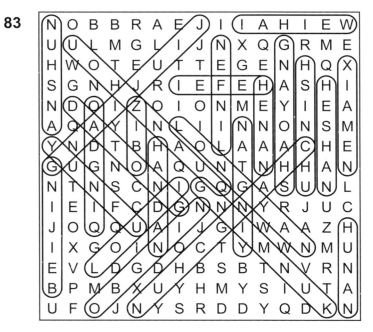

84

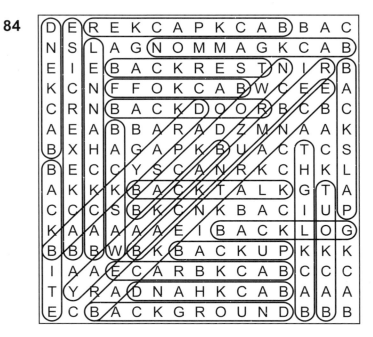

SOLUTIONS

85

```
P L F E C O H C N O P D Y P
T G N I G R U P O M P O M R S
H S A T O P H P W H P L U T O
O I P U L S A R O P S Y A N K
P E T P B P R B E P I T Y A H
O P Y R A M I D G N R H L P E
Y V I Y J A U T H P Y E T N P
F X A Z N P N W A R P N P S A
P R H Y U P S P Z S U E M P L
P D P D P B A N A B W Y O E L M
H E D U Y O P P G T J B R L M
O L K Z L Y A C E T T U P L M
E O N I V P D R M R K E L E I I
B S E Y N P I E C E S X R T I
E P E O P G Z T L P D Y V N P
```

86

```
T I F K O N Z D S N G A S S E
R O Q Z Z L S Z I K D E Z O C
O W D I V T Y S A L W R E Y N
P E C R O F N A B B O U H A L
P W I N K O P Y A V H S E V A
U M E E T B U L K Y G S E F E B
S M A R G O L I K A D E T Y H
N P X S H A C L O A N R U C
E S F E S T Y E O X B P L N R
D C H T W I J L T A V I D W U
R A N Y T I V A R G F I N I S
U L M U L S Q E Q T W W U E H
B E D O O X W R J Q E N O I N
B S U B S T A N T I A L P D N
S S E N I T H G I E W V W Y G
```

87

```
P E Z K X T I L I A T H G I H
L E L U D E Q E P O L E S O L
A Y X D T A E R T E R C F G D
Y A E H D F O J W L A H B A I
T W T F A A F P H R E U B H R
R A R C J U D O P K Q G I K R
U T S A E Q S E N J W F I Z Q
A E N S E F R I K U I F L T Y
N G E S B P E K H S R O S N K
T D A C L A P D Q V I E E A A
A O K A E K I A V H S K I V E
V D O T M V T L S J E A O Y R
O U F T V Z A A O I U T U H B
I J F E L Q E D R U D M A J Z
D M Z R A S I D E S T E P Z W
```

88

```
E K A D T V L D R T P L A O S
S Q T E J A I L O G N O M J L
S A R D C W U O N E K L C V F
E B R U N E I A P K U L W Z N
V N Y O F N T A S U J A P A N
I E E D Q U L X R W E K W A R
D B M H N B C L A J I D A C
L N U B E R U S S I A R T C C
A D R Q G Y A T R T O A H A F
M O M A N I T Q I J Q I H B N
L N A L R I A X L U N D W A S
T E M Y M R H C A A R N R L Z
D S S O I O F D N A L I A H T
E I R T Q A O G K S N E P P M
S A C K S W X H A S B D Z O W
```

SOLUTIONS

89

```
D L L L B U G X E T R O G Z X
E O Y C C S I E A S N I W W C
E G A O M D I C T A P H O N E
W O K U N Y O E U R O S T A R
T E T U X N L U G L R S C N S
S M A P S L A S Q W U I K T U
I P O D I K N T D A Q G Y P R
R C A T E R P I L L A R E T A
R E E N O X A L S M O Q E R C
A T R U E D E T F F J F Z E I
H W Q R N Y A W O U L G V G M
G Z Y A I R U A Z O Y E U H R
N P B V M E M H N W C J Z Z O
F G X A U R K T H E R M O S F
V B C Z D O G E L B A S V R F
```

90

```
C E D L E I F G N I R P S M Q
O S Y N D R N I T S U A C A Y
N J Y O E U U C Z K G H Y T N
C X V T N C F U A J N T R S A
O E D S V S G K F C I W Q U B
R D S O E T E Y I C S H O G L
D N S B R P S Y E R N A G U A
A C O R O A K K W E A R N A H
V N F T N U A T R X L T L I W
J P E T N L F R A N K F O R T
U B A L T E E J L E J O C W Z
N F O L E I R B E L H R N O J
E F A I P H B T I R T D I Q P
A S T M S G D A G Y M E L A S
U G C R Z E F P H O E N I X N
```

91

```
B C S U S E G N E Z O L I T E
D L O U E K H L V Y L Y O S A
H L S R R E H C A D A E H U S
E T O H Y I X B O E B H O D F
Q I G C E Z V Y G R E L L A P
R S N C N A A A N U T H U U N
I S A I X L M T T S T R N K
N U Z T C L B H U X I R Y W W L
F E E A I W J T S I S P W L R
L S E R D N M S S M H D I B E
U A H R E U I A I H X H I D O
E Y W H M U D H S G C G F B N
N F P O L L E N R U C P S Z O
Z H A Y F E V E R O E K O M S
A L F X G G N I K C A H K D E
```

92

```
E Q A D B B B J Z H W J B F K S
Q T R U S D C G T O O Q Z T L
E N L O R S A R U I S D E F I
T E A I T F E R O E C F N S A
S M V X Z C N R R C F K E I R
E E I E A E U V P U K A E Q W
R C R G Y A I D B X T P K T H
D N R A F C W V N S E R A F I
A U A G E Q X S R O O D E B S
E O Y G T L N T L P C S P W T
H N A U U H E R K E K B F L E
F N Z L O E S V P C E N F E E
C A T E R I N G A V R H O D W
F N K G O C N R M R M R W U V
U O Z N O I T A N I T S E D K
```

SOLUTIONS

93

```
Y I A Y Q T C I A H C R A O M
A P U R O V E R W I T H G O E
D L L O B K G D U F M A T N P
R B D T Z N L E O A S R E E H
E H L S W N T R D R O F R H M
T B A I R E M N A I L V O W G
S E N H L E O E R H D U F K D
E Y A G O R U Y P P E T O O C E
E Y S S L Q R T R F W I F T A P
X B Y G O N E H O C M L E B A R
O E N I E V Z R V K E O R Y R T
E E E I I R N G T E S I E A T
Q N C O U T O F D A T E H W E
I N U N B D A Y S O F O L D D
A S A N T I Q U I T Y N A D V
```

94

```
Y V N E G U S T K O K Z B X R
D K W F A S H I O N E D M N Z
P I O S A T G D A M I M D P S
R E M O C F O U N D N C A W A
I V A N I Q M U A A U X K I E
W C A R G X X T F R J K D V D
E K J E L Y T S I X D M N E I
D N A L G N E N R N D C A S H
D L R O W Z T L I J O S H T G
O R L E A N S V I H O D B A M
T E Q L F J O T A A L M I L P
Q G U O I X V S L K B E D E F
N O O M R S J L W E B D D I V
V L C O A L A B A H I O Y C L
M D V I S K A N A S A U Y I F
```

95

```
G T J S E K A T S O R S E K H
R E N H F U V E A E U L F R R
C O D E B G G W T B T J C P E
W X E E J A E N I T R A I N E
R E S P I D I N A A L D N N E
K A I R G R M C C L V N O E L
A B R E P O G R A J E I T O I B
B A E F U F O B G C H A T I O
C U T O W T F D O K H I G N M O
U E R R O L E A C Q I C R B N U
P O N M O R C U O J L A M O T
U G E G R H R Z K W E B A I U
P N H E I T R F O W J B X L
B X I R O N N A I L W O H S A
N P K X S O E T R A C T O R Q
```

96

```
R M A E S O M T D D D O W T K T
E T U O R E N E S N E C N I D
H J A R T O G Y Q S V T I I Q
T Q G N T J R A B M R W S X U
O A T G T N C U R O I P T Z A
B F T B A A A N F N L F I X R
R U Z E B L G T E E E R F R
O F T U G J L O A T R J D F E
F F S G G X E V S N I T K V T L
F N X W N G E S T I P L R W A
E A M W I J G A R Z S U E I S
N U L G S N T H A O F M F M F
D P Q J V E D D A F U Y B U U
U A N I B T R U L I B S R Z R
E U V A P D O E P K S Y E S E
```

SOLUTIONS

97

```
K G M H E P Q R B N D Y R F W
Y N X L O A E R H R M M E Q O
A C F Y U L A B Q O A M C X E
U I I P L I X E N H R X I S L
H W H I D B U E A L M V R O K
Y F M C G T G R M E O R P R I
W L T A C A G I S G U T N E N
Z E A R H E X E L N R R N T G
E P B D A A V W Y E E O L S T
F L B N N Z D A Z B S A Z E O
U D Y I S I N Q C T O K D L N
R S F L O N R A A L E L C N N
Y V Z R N G L W G M A N T A N
K Q M V M E F E I L A C F B F
A Z R V O R K J O N E S M T P
```

98

```
Y E R T E T G J P Z H X R C R
A U H T N C I G C R O P E S Z
K A L F D E A M V C C K B N Z
A L A E Y D C F M X W L M T V
H P C L J I Z S H U A K I E C
K I C C U T F A G S B L F O
S N T T S G R I D G E E C T F
L I R R O L L E W D V L N Z G
J S E V O N L F X A B A B A S
A T V R S P P I T H U Y L K G
X S S A B L S I H S E F M O A
X B K A R J O Z E T E I S I R
I N Y C P N W P T Y O R G M C
C S G O O E M T E F D O C H G
M M F J A R X E G D E L F C T
```

99

```
W O N D E R F U L R F Q D H T
L E T A R U C C A E T Y O Q N
E A L E L B A C C E P M I E E
T B S H G U O R O H T S E I L
A S L M O R E X H S C U S D L
L O Z U R C P T S T U P I E E
U L U E F U Y S E N Z E C A C
C U C T R H E X M L N R E L X
A T V E O L T A A T P B R E E
M E X L R B R I I M Q M P X A
M L I E O R W R A C N R O A W
I J E Q E T E S D F L M M C V
T P K D U E T A M I T L U T H
I Z V P O L I S H E D S Z R G
J H K F T M K V T R E P X E E
```

100

```
R A T L U N A R T N X U M R C
E N O H P T L A O I P H O E G A
U O G D E X Y G J B Q N I T N S
T D N S F J H C N I W E D N E Z
H E N O O M J U P A D I I E
I I P K L B X X G D D U P L E
R W E A R Y B O D N S T O H C
D R T E T T N N U U H B Y Z I S
L H K P T L Q U A V P T E E U
Z G G A J U E L T D K I E U M
T P E O A A U R D S H L T T
O L A I N V I T O X A O E G V
B U L R I G T I I X L E E E X I
O M N P I E K D O F E Q L T I
R B F D U S T Y I E H M J Q Y
```

SOLUTIONS

101

```
T A W B R X Y Q R U E X T X R
S C L R E E B O T U C S R A E
I J H E T E T N U I S K R A T
R U X I R R C X I T E A N A I
A X S M O T S I R I T A S C R
I D T D P N R T T W U L L H W
D R O M E C I S R R T Y A E N
R E R I R A I C O O M S T R G
A W I N W Y R F L F T V O P I
M E A I A S O T W E N I R H S
A I N S H Y H K K G R B D W G
T V S T R E T O S C R I B E R
I E A E G D U J P U C L E R K
S R O R P L A Y W R I G H T V
T C O P Y W R I T E R Z X H Z
```

102

```
X E T N A H P E L E V V Y R Z
A B E K A V R Z E C W C A O C
D J D X R U I K P G Y G A R U
D U S A M A E O N T O V R N K
A X M E E K H O A D I E A O G
S Q L A A T G S H L Y G M C N
N V R N N U E S G A O O E O E
A O C A D A U R E N D R X R T
T P D R H B T Y P O I D I Z N
U N D A Y M A E D S K K O H A
G F M C J X R R E Z A A S C B
N L R A C J A G U A R N P A K
A Z T P T G N R E T A C N I B
R N S G O R F G N I Z Z U B H
O B V N L E Y O S W H B Q U W
```

103

```
R L R G D S A R M K A A S R R
M J S B R B H V O R Y U E R H
T R R E H E A T E D O G R S Y
A J N Y R O U I T T D O O A T
G I G O R O V J O I D U T M H
N F N H I I R I R E I B A M M
I B I A R T R S N N R G R N R
N T I J M N U T B S R M E N O
O I X E A I O I T V R G G I B
K X C R I C R V I R E T I R E
C Q R Q I D Q B A T H S R R R
E O S D O F A L S C S P F Z T
R Z E M J L L R A A E E A A Z
R R G C D Y T E V I R V R R Z
M O D N A R M R E P A E R A E
```

104

```
T F B G Q L P M A Z B A W I Q
M R M T H G I L G M Y O B T S
R A A C Z O G U J N D T P I M
X M J V L F L C O N I M T U D
J E T I E B A X I R L D T U O
A M K W D R S W N E I O I L P
A L O K G O O S B C M W E C L D
O S M B H B I E B R L C L K S
U B W O S I R H O A I Q D N
S A L X T P Q C E D S E I U I
I R H A S R H N P P S M L W X
E T L S N J O J N A P Z U C L
U S O C A S I N G L N V M P Y
C R Q R W S K C E R Y E A R
C T I F V C U S E G F I B G P
```

SOLUTIONS

105

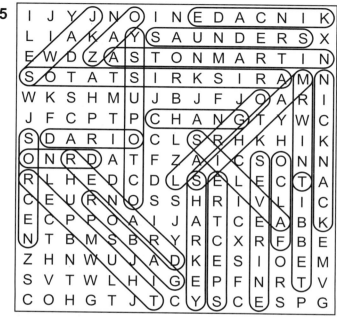

106

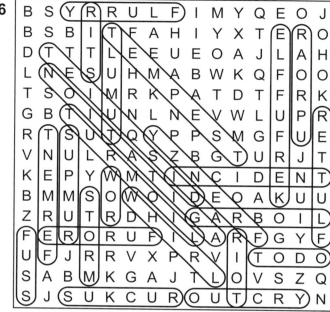

107

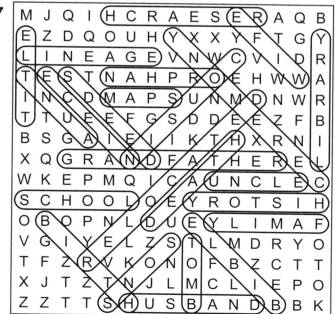

108

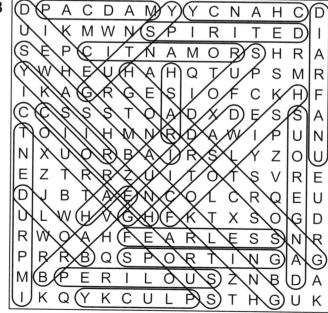

SOLUTIONS

109

```
O L S U C S I D W G T G W O F
L T U P T O H S I N N B H G I
O S E L D R U H S I Q T I N H
P Y F X N G O O W X T L G I K
R V G P S N R O I O L V H K L
E P N Y Z I R T M B U L L K A
T Y D E M C Q I M B A L U A M
A Z E K V N F N I F V U M W E
W Y C C F E A G N J E B P E P
H R A O W F G S G I L D D C O
P E T H M A R A T H O N I A L
E H H J Z Q Z M Z I P A V R I
B C L U G N I L C Y C H I W N
N R O D R E M M A H R S N Z E
G A N O K C A N O E I N G D A
```

110

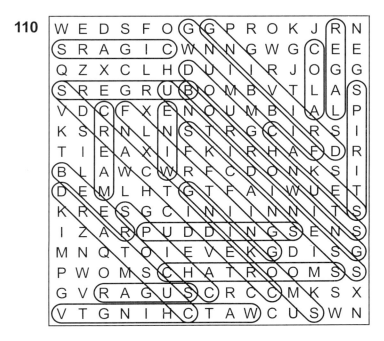

```
W E D S F O G G P R O K J R N
S R A G I C W N N G W G C E E
Q Z X C L H D U I I R J O G G
S R E G R U B O M B V T L A S
V D C F X E N O U M B I A L P
K S R N L N S T R G C I R S I
T I E A X I F K I R H A F D R
B L A W C W R F C D O N K S I
D E M L H T G T F A I W U E T
K R E S G C I N I N N I T S
I Z A R P U D D I N G S E N S
M N Q T O I E V E K G D I S G
P W O M S C H A T R O O M S S
G V R A G U S C R C C M K S X
V T G N I H C T A W C U S W N
```

111

```
U E E T A I A X Y T I H V P E
V N B T N E Y P H R K L O Q H
J F E K T A R Z K Y E F I S H
Q O J M T E R K E H S T W K Q
E B F V S R I U V Y A S A V F
I O D E E K U V A I M W A E V
R K A P S M F O R T K O U L E
E T P U E G S R T E S H V F G
S U S A F K R X M R S E M V E
S H T O U W A I T E R E R Y T
I P E T R A C A L A A E T L A
T B A R B E C U E L N A L O R
O O D R I N K S E I B I H P I
R B I S T R O A D L B E L D A
L D M F I Y F G E N A P K I N
```

112

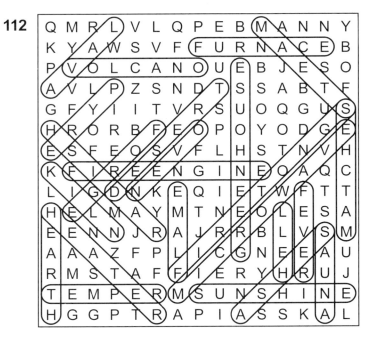

```
Q M R L V L Q P E B M A N N Y
K Y A W S V F F U R N A C E B
P V O L C A N O U E B J E S O
A V L P Z S N D T S S A B T F
G F Y I I T V R S U O Q G U S
H R O R B F E O P O Y O D G E
E S F E O S V F L H S T N V H
K F I R E E N G I N E O A Q C
L I G D N K E Q I E T W F T A
H E L M A Y M T N E O L E S A
E E N N J R A J R R B L V S M
A A A Z F P L I C G N E E A U
R M S T A F F I E R Y H R U J
T E M P E R M S U N S H I N E
H G G P T R A P I A S S K A L
```

SOLUTIONS

113

```
G R T L L Y P D S S E C O R P
R Y C I K W R A O Y G T K P J
A E O H N M E E K W K N R T G
V F P R U T S H N N T E A L H
U S P A P U S R E X W M H C F
R T E M P E K E E L R E S U D
E H R G K R R T I O L R I T D
E M P L A X T T F P E U L T Y
L L M R P H E G L C S B I E
P G A D A O P L S I E A U N
A S T N O F F O H F N E P G I
T L E C N O R E H P F M D H N
S Q A J O U R N A L S O G E E
C S Z R E D E E F J T Z T Q R
D A P E I E M O R H C O N O M
```

114

```
U Q T S E I A A K I R P A P I
M A N G O V X N A V O C A D O
I N O M E L I S O R H M U L P
N K U R V Q B L A M C Y I J F
T O R R A C E Z O G A E N I W
X E R L E Z A H J E N B U G
I N T M I W V F D C P J N S H
L I O A A Z Z N H B G E K I D
U R M Y T T O O Y M T W N N C
Y E A X Q I C Q R N M Z O L H
T G T I V O U C T N Y M E F P
E N O F L R R C Y P L Q M Y P
A A U A Q E Y Y S A N N I Q Q
L T T R A I O A H I M E L O N
C E W M E M Y R R E B N A R C
```

115

```
G Z Y L R E T S A M A N R F R
A Y K E S X M L U Y T L I I A
C T Q T H P X D E N R A E L H
C F U U R E S Y L N R N A R J
O A A T E R D W Z A C O U E T
M R L S W T N P C C A I K S X
P C I A D E L O O H C S E I W
L V F Q Y I R L C E N S E W B
I I I F D N D S U X S E N T H
S P E B R E I H A F E F B E L
H Y D B R E L A F S T O S E T
E T I O R D A L R F Q R H R N
D U T H Q Z T D I B F P A T I
C U N N I N G Z Y K J M R S J
T B I N F O R M E D S S P X J
```

116

```
K E E W X P L C D A Y A D E X
B E C N E D N E P E D N I Q Y
Q U I F D A Y A D U C H K M P
G G N I K R O W K M O C E P P
S N F Y C S F E A S T E H Y O
F R I A A T T R P L H E T J C
L V E X D D K N A Q X P F Y C
A G D H O E V M E N Z S L O Q
G I W L T B M E U D U L E P R
G O O D E A B A T R I L W E O
B D O Y S I F S D E I S T N B
M I Q Y M Y F T O U R T E L A
Y R R H A Q A E O E A A N R L
A H K T M D F R M L F M N K P
D S Z Q H G A P S D A Y N S B
```

SOLUTIONS

117

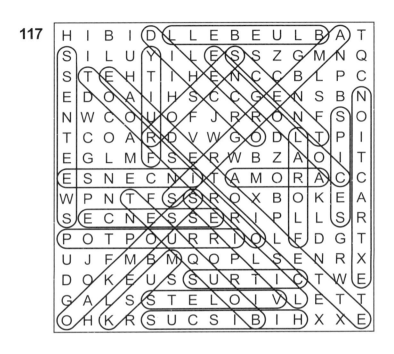

```
H I B I D L L E B E U L B A T
S I L U Y I L E S S Z G M N Q
S T E H T I I H E N C C B L P C
E D O A I H S C C G E N S B N
N W C O U O F J R R O N F S A N
T C O A R D V W G O D L T P O
E G L M F S E R W B Z A O I I
E S N E C N I T A M O R A C C
W P N T F S S R O X B O K E A
S E C N E S S E R I P L L S T
P O T P O U R R I O L F D G T
U J F M B M Q O P L S E N R X
D O K E U S S U R T I C T W E
G A L S S T E L O I V L E T T
O H K R S U C S I B I H X X E
```

118

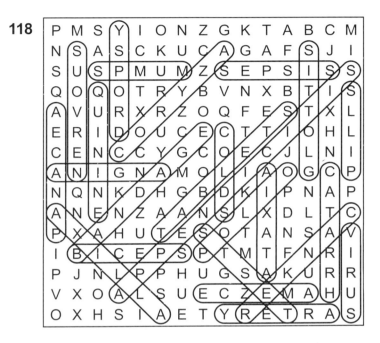

```
P M S Y I O N Z G K T A B C M
N S A S C K U C A G A F S J I
S U S P M U M Z S E P S I S S
Q O Q O T R Y B V N X B T I S
A V U R X R Z O Q F E S T X L
E R I D O U C E T T I O H L I
C E N C C Y G C O E C J L N I
A N I G N A M O L I A O G C P
N Q N K D H G B D K I P N A P
A N E N Z A A N S L X D L T C
P X A H U T E S O T A N S A V
I B I C E P S P T M T F N R I
P J N L P P H U G S A K U R R
V X O A L S U E C Z E M A H U
O X H S I A E T Y R E T R A S
```

119

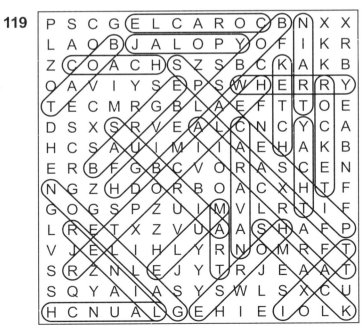

```
P S C G E L C A R O C B N X X
L A O B J A L O P Y O F I K R
Z C O A C H S Z S B C K A K B
O A V I Y S E P S W H E R R Y
T E C M R G B L A E F T T O E
D S X S R V E A L C N C Y C A B
H C S A U I M I A E H A K B
E R B F G B C V O R A S C E N
N G Z H D O R B O A C X H T F
G O G S P Z U I M V L R T I F
L R E T X Z V U A A S H A F P
V J E L I H L Y R N O M R F T
S R Z N L E J Y T R J E A A T
S Q Y A I A S Y S W L S X C U
H C N U A L G E H I E I O L K
```

120

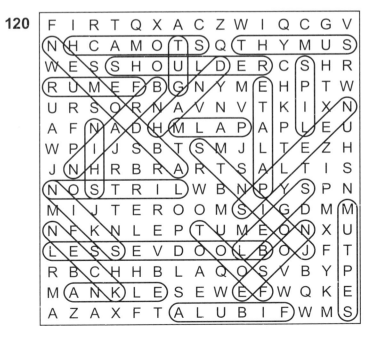

```
F I R T Q X A C Z W I Q C G V
N H C A M O T S Q T H Y M U S
W E S S H O U L D E R C S H R
R U M E F B G N Y M E H P T W
U R S O R N A V N V T K I X N
A F N A D H M L A P A P L E U
W P I J S B T S M J L T E Z H
J N H R B R A R T S A L T I S
N O S T R I L W B N P Y S P N
M I J T E R O O M S I G D M M
N F K N L E P T U M E O N X U
L E S S E V D O O L B O J F T
R B C H H B L A Q O S V B Y P
M A N K L E S E W E F W Q K E
A Z A X F T A L U B I F W M S
```

SOLUTIONS

121
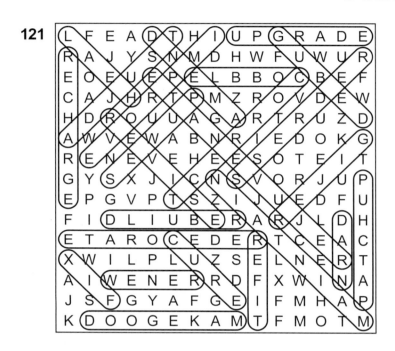

122
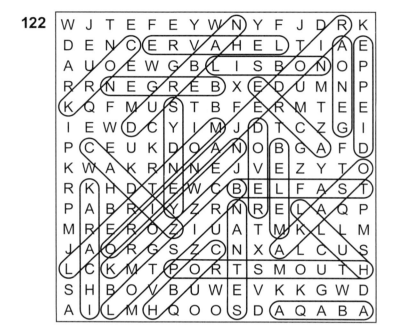

123
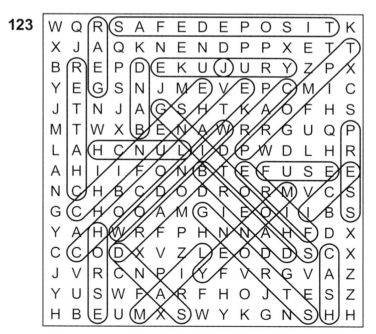

124
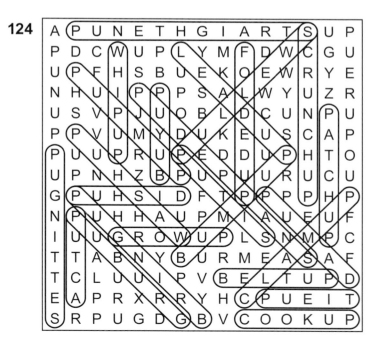

SOLUTIONS

125
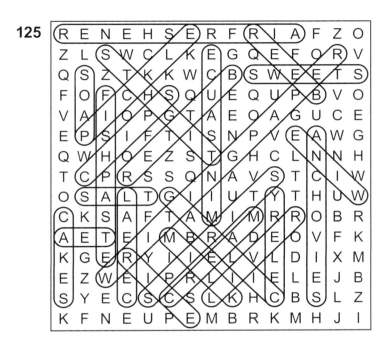

126
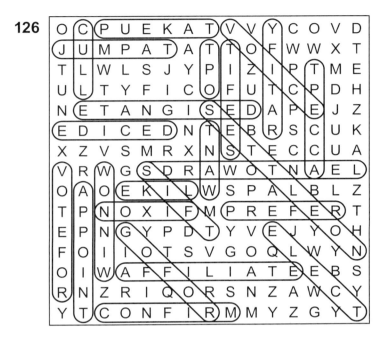

127
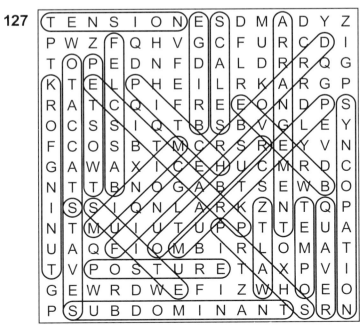

128
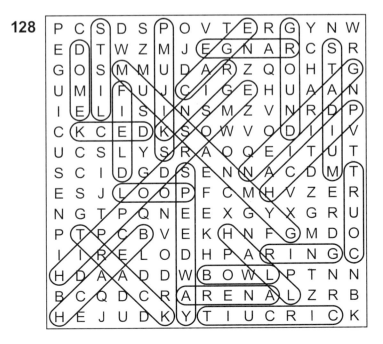

SOLUTIONS

129

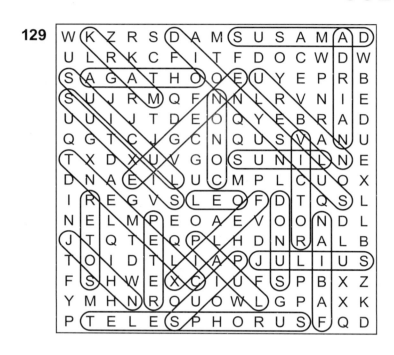

130

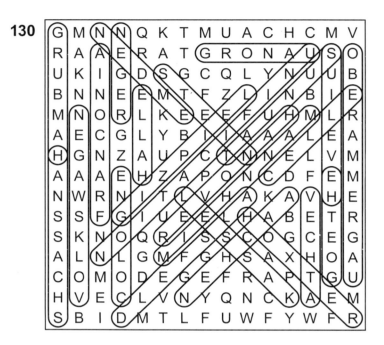

131

```
T D Z F P J P Y Q C L H G N E
Q H U Z B E K N R E D O M V N
O T I V A Q V Q N V S H A W I
S B B R L J P I C N N K A Y A
C E X A D W L O J O O C O O L
J B D G W S R U T C I A R Z E
O I I T X E T G O D O R S E Y
M P O I A S N R B S E A L H H
Q J Y M N I E C E L J R I Q A
Z X X E L I U H L A U B C K R
M T K L S C F A V T M E Y L D
U H E A G F W R G O S D S E B
T C B G V V B L H E R M A N O
A C Q H Q Q L E O C E J O F P
T F L E I P S S D R Y B V T G
```

132

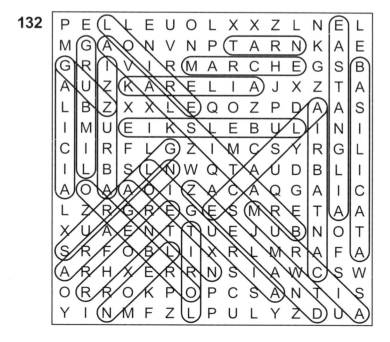

SOLUTIONS

133

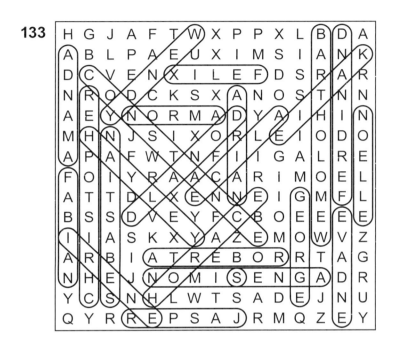

134

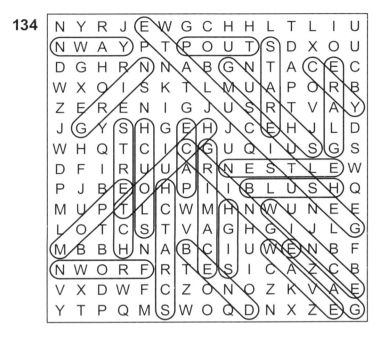

135

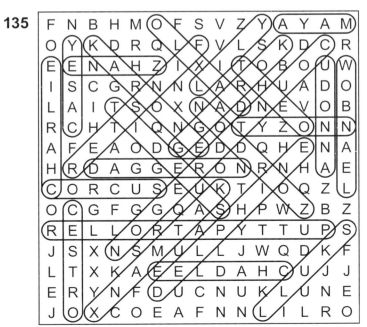

136

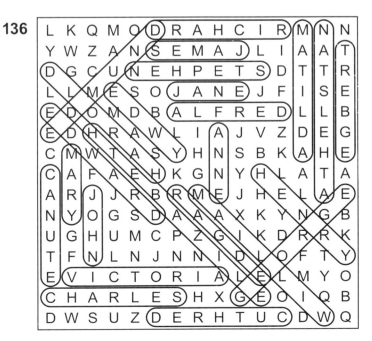

SOLUTIONS

137

```
R O H T P J O G A H T C Y S D
E T G T Q Y A F L E A O L G M
N H A D I F L Y K N R T Q A P
I Q Q N L N G R A N A T L U S
M X E J G I E K L A C O Y Z H
R A P U E J E B Z I W F N B E A
R A I U N F X R R H U M M U S R
C P R R I F A I E P G Z K O E
M N B A Y L O D N G U Y G F M
T Z H P T S S C E E N C F X J
A R A T I U G U L I S A E K Y
R P D F D Y K I M T R T R M G
I H W N R I X Y G I I L M O A
F M O H A I R Y G L E U J J F
F L H Q R L X R F F M P B V Q
```

138

```
E S I X B R W Q M U R T S O R
G R U N N I N G O R D E R D E
S G R N I L S U M A I M I P T
R E O K N Y E O E P C R O D C A
W I N Z P Q L W A D E S D B A
S T F I H S E N E C S A C W R A
R E R E L N E C T D A V A N A H
E G V Q M R K O T S A B L R H
D S R L A U R X R H N F L O C
D G U Q O C T O H T A H E E K
A N D C X V H S Y O K I X Y A
L I I Q O C E L O L N O D N E
C W R O N F H R D C L S N L R
R E G A N A M E G A T S B X B
R G G N I G G I R N A V W J P
```

139

```
E H T N U M S R E B M U N U Z
V T K E P S I L Z L Q T C E J
I X E T U O F N A U X J R R E
T I U M H M W U U M L O D K J
A S S M A X Q E B S I A J Z J
G G E R L E L I R G M C B H Y
E H N R F A C T O R Y S E D S
N O I T I D D A J T H I R D R
S F S T D E Q O L E W S L I Z
F K O U Y W S F O C R L C G Q
J O C Q F I G U R E U N O I I
R A T I O I C T T G A L E T M
E K H X U W F V V T A B A E K
E B H M H V H T P F N E A T Z
H T D E R D N U H R A N V U E
```

140

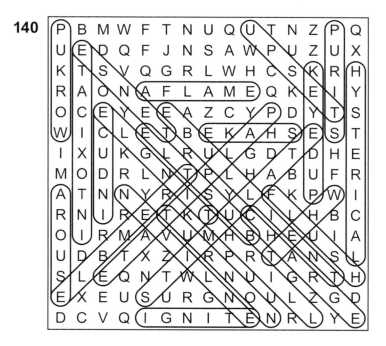

```
P B M W F T N U Q U T N Z P Q
U E D Q F J N S A W P U Z U X
K T S V Q G R L W H C S K R H
R A O N A F L A M E Q K E Y H
O C E Y E E A Z C Y P D Y T S
W I C L E T B E K A H S E T
I X U K G L R U L G D T D H E
M O D R L N T P L H A B U F R
A T N N Y R I S Y L F K P W I
R N I R E T K T U C I L H B C
O I R M A V U M H B H E U I A
U D B T X Z I R P R T A N S L
S L E Q N T W L N U I G R T H
E X E U S U R G N O U L Z G D
D C V Q I G N I T E N R L Y E
```

SOLUTIONS

141

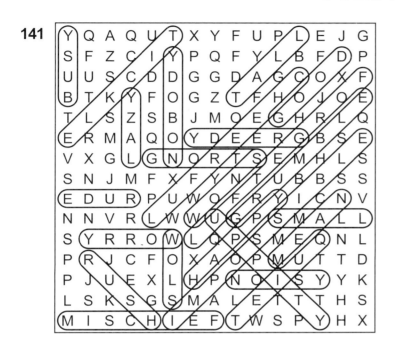

142

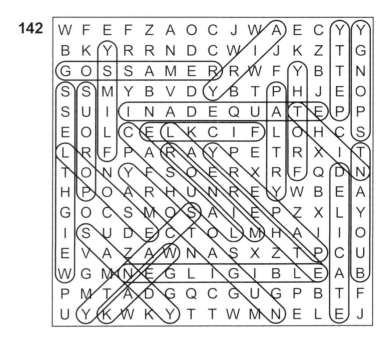

143

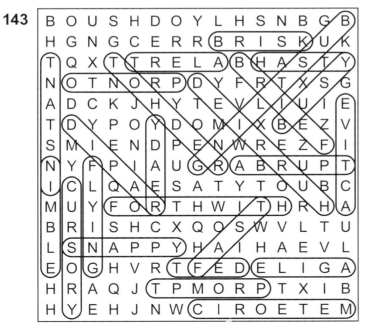

144

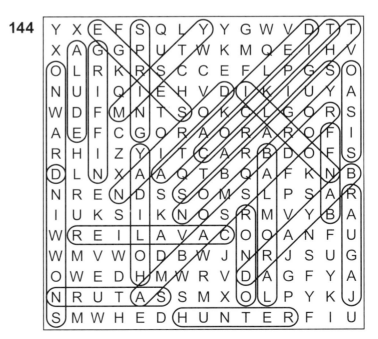

SOLUTIONS

145

```
N M L R P M V R E N I M A X E
S E L E L B K T D R Z U A S X
S R J I A D J G E S L D V I Q
E C O R N L V K H E O G S X L
R U U U E D R K N A H A H J F
P R R O T O R I C H D L O L L
D Y N C W B T O T S O P P T K
L Y A L U N U S C N V C P I R
Z W L R E N K Y E E Y G E M E
E A F S G E N Q U I R E R E T
V T T G T U C G L O B E A S R
X A Y C H F S H E U Z R R Y O
R S H E C I O V O O T V H P P
D L A R E H P N S X J V C V E
W P U T N E D N E P E D N I R
```

146

```
O C L S U S O C T A V E E H Z
R T O A F E H C J O O U N P E
O B F U S C A T E X O Q O Z Y
O B E L I S K G A B I A Z F O
D R Y T I N U T R O P P O F A
T I K O G K E O I W B O N E E
U I D N O F T E N O Z L L R I
O O R E E T O P O I T H O I O
V M O S E Y H Y N L M O O N N
O S Z E O O S G Y S F O K G G
E V I L O X M O L K O D E T V
O G E F E A C O P I O X R B O
E S M R N O K D Z N V W I D O
A O Y S T E R C H S T F U D W
O V Q L R F O O R P N E V O E
```

147

```
L J M X C R A Q E B R J T D R
L S Q T D H N W Y O F N F O W
A W E N S N T N O A E O I R U
B N E H Y S I L E M B O A J L
T P E J A G F L T L E E H W J
Q E S P H X P N B P R T R W R
T Y C T B P I T B V E J W R E
E T Q O D O T W T B V F B E P
A C I U E E H Q E W O O O T P
W A F H B K L G T K P A R T I
A T T V N L D I R W J Z A T T
Y N L Z C I O X D H E H N W X
I O Z P R R K W R C F P K S M
E C U B F T Z K N Q C H A R G
E W Z F G B I O R C H I D P J
```

148

```
N O I V R E N O M K A I L A R
K J C U T X I N R P E R O X K
N N O V A L F T A A O R N K K
S O R G N A S I V P B A I O K
E E I V J O H P X E V J D O F
S N M Q Q C N Q F A H J Q B L
S Y I A C N J N R L D R N O Y
K J U E H P C D A R G O I R J
S T R M S T N X I H C U X G H
G A G E B I I H V I S K N W O
M F D U E B J Y B I I G A L T
S F N S Z X B U Q B E V M M A
E G T E J O R U O D A N E W F
D E W C M A R I T S A X N A F
R E C K N I T Z E B L E I E O
```

SOLUTIONS

149
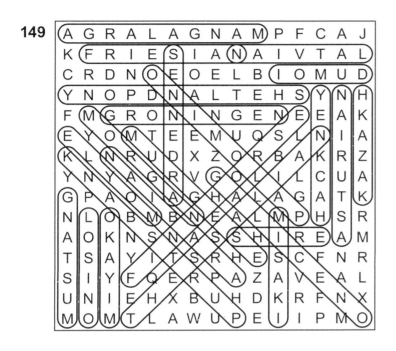

150
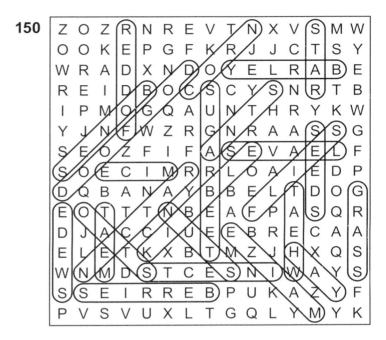

151
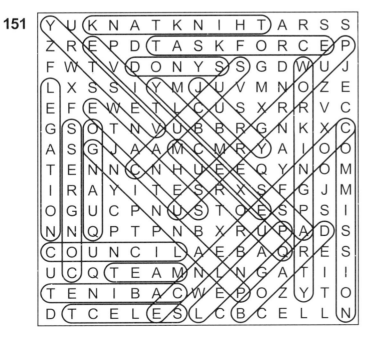

152
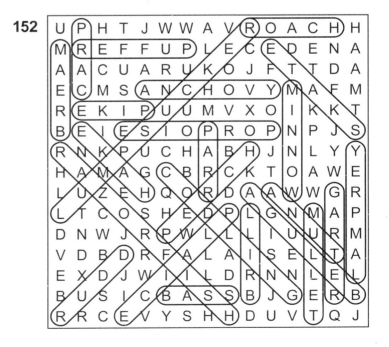

SOLUTIONS

153

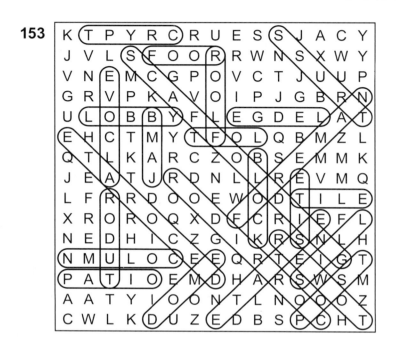

154

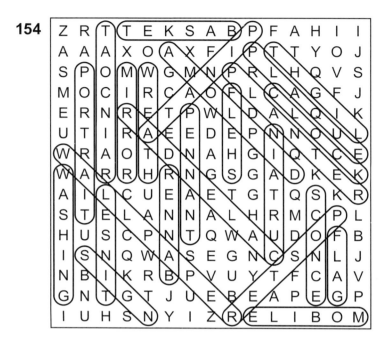

155

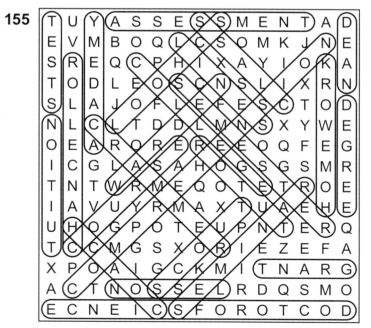

156

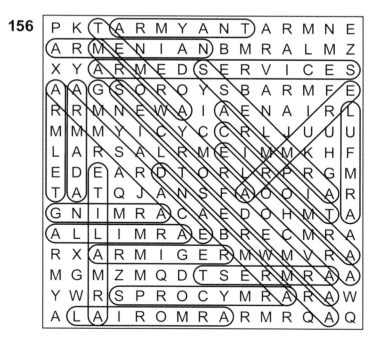

SOLUTIONS

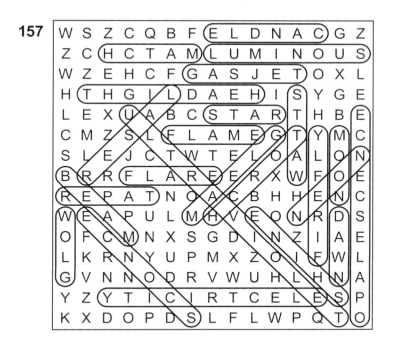

157

```
W S Z C Q B F E L D N A C G Z
Z C H C T A M L U M I N O U S
W Z E H C F G A S J E T O X L
H T H G I L D A E H I S Y G E
L E X U A B C S T A R T H B E
C M Z S L F L A M E G T Y M C
S L E J C T W T E L O A L O N
B R R F L A R E E E W F O E
R E P A T N O A C B H H E N C
W E A P U L M H V E O N R D S
O F C M N X S G D I N Z I A E
L K R N Y U P M X Z O I F W L
G V N N O D R V W U H L H N A
Y Z Y T I C I R T C E L E S P
K X D O P D S L F L W P Q T O
```

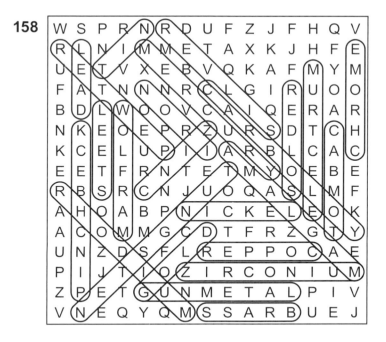

158

```
W S P R N R D U F Z J F H Q V
R L N I M M E T A X K J H F E
U E T V X E B V Q K A F M Y M
F A T N N N R C L G I R U O O
B D L W O O V C A I Q E R A R H
N K E O E P R Z U R S D T C A
K C E L U P I I A R B L C A C
E E T F R N T E T M Y O E B E
R B S R C N J U O Q A S L M F
A H O A B P N I C K E L E O K
A C O M M G C D T F R Z G T Y
U N Z D S F L R E P P O C A E
P I J T I O Z I R C O N I U M
Z P E T G U N M E T A L P I V
V N E Q Y Q M S S A R B U E J
```

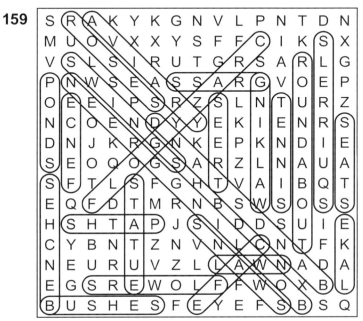

159

```
S R A K Y K G N V L P N T D N
M U O V X X Y S F F C I K S X
V S L S I R U T G R S A R L G
P N W S E A S S A R G V O E P
O E E I P S R Z S L N T U R Z
N C O E N D Y Y E K I E N S E
D N J K R G N K E P K N D A T
S E O Q O G S A R Z L N A U E
S F T L S F G H T V A I B Q T
E Q F D T M R N B S W S O S S
H S H T A P J S I D D S U I E
C Y B N T Z N V N I C N T F K A
N E U R U V Z L L A W N A D A L
E G S R E W O L F F F W O X B L
B U S H E S F E Y E F S B S Q
```

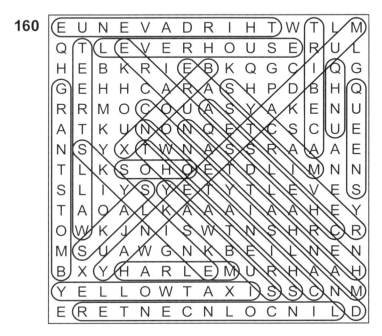

160

```
E U N E V A D R I H T W T L M
Q T L E V E R H O U S E R U L
H E B K R I E B K Q G C I Q G
G E H H C A R A S H P D B H Q
R R M O C O U A S Y A K E N U
A T K U N O N Q E T C S C U E
N S Y X T W N A S S R A A A N
T L K S O H O E T D L I M N S
S L I Y S Y E T Y T L E V E S
T A O A L K A A A I A A H E Y
O W K J N I S W T N S H R C R
M S U A W G N K B E I L N E N
B X Y H A R L E M U R H A A H
Y E L L O W T A X I S S C N M
E R E T N E C N L O C N I L D
```

SOLUTIONS

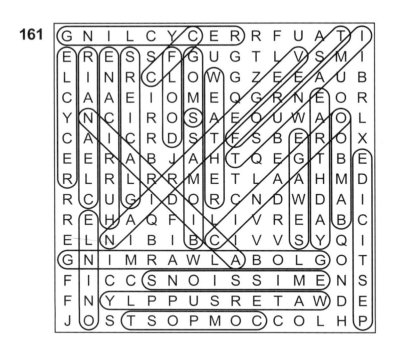

161

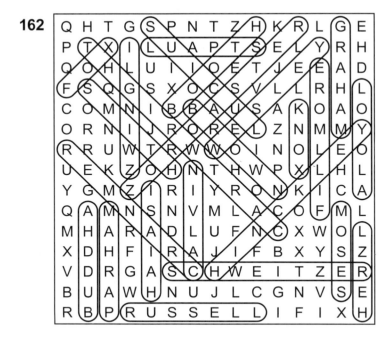

162

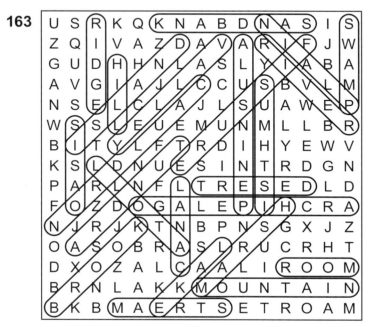

163

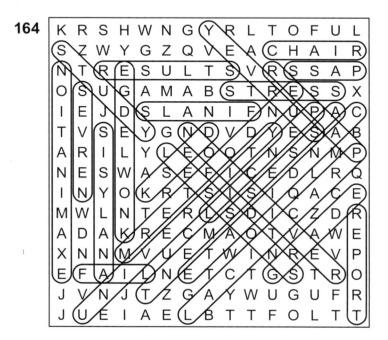

164

SOLUTIONS

165

```
I O Y C I T I Z E N S H N P N
H E L I F D N A K N A R E M E
U I L L B D S R E H T O R B M
M N O B H J T R I B E X D S Y
A H C U T Q S D E B F M L N R
N A P Y T B I W A I D I O T U
S B L R L T N S M E N A H S N
S I U E G I I Y A L P C R E O
S T D F S S L N T T O L H E O
L A A W H T Y I U P E F E P C
A T N G E F J O D U M A I V R N
T R T R O F N Z L E N M H C A S
R O S L I A W A C K N B O L O R
O M K U L M C O Q B H T C C H S
S I S Q E U R H B G K S U I Z
```

166

```
S Q M V Q W Y I T Y V G K M T
N R P Y V O A C R O U A N A X
D F F P F H W I L Y I H U V H
X I J T T D L T O R Z L J R T
G R N B A R G E O R P U A F R
R N H Q G O K K Q E Y Y A G A
E N I R A M B U S F S R K A W
N K K W K E C G N H A U N U L
I O U A O T O T N A A D N K E
L W R S H R S N U O K U H Y R
U K T C O I A U A R L C T H F
G V A O M R M P Y C N H X U O
G Y S W N E P E U U T D Y W G
E N A R A M A T A C B H I A N
R S X U O E N L O R C H A Q H
```

167

```
D H N Y Q V H T N A R A F A M
Q Z I C Z U G I Y Q B P L W U
T A M A I T L O B C F A V U S
K T O X L E E N G I L Y D S H
M E O U A C W O M A L U Q I U
F M G P N I A T P F G O D R R
U E I A T F W A T G I C Y G J
H R G N O L D N A L Y A M S Y
A A G L A U R U N G D R B N G
K I L G K O M O Z N R D N H U
U R A U O R P B L G E A Y D A
R E E J O H T G A K D P W I M
Y V D Z G X D Q A H T A C S
U E R Y F E C I O I G C J Z K
U T M U W M T M N E M E N T H
```

168

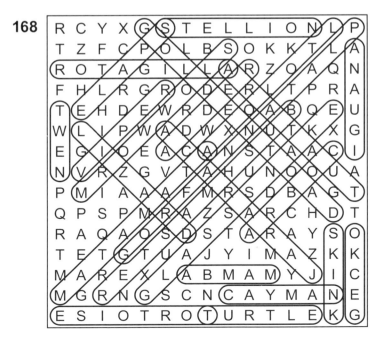

```
R C Y X G S T E L L I O N L P
T Z F C P O L B S O K K T L A
R O T A G I L L A R Z O A Q N
F H L R G R O D E R L T P R A U
T E H D E W R D E O A B Q E
W L I P W A D W X N U T K X
E G I O E A C A N S T A A C I
N V R Z G V T A H U N O O U A
P M I A A A F M R S D B A G T
Q P S P M R A Z S A R C H D T
R A Q A O S D S T A R A Y S
T E T G T U A J Y I M A Z K K C
M A R E X L A B M A M Y J C
M G R N G S C N C A Y M A N E
E S I O T R O T U R T L E K G
```

SOLUTIONS

169

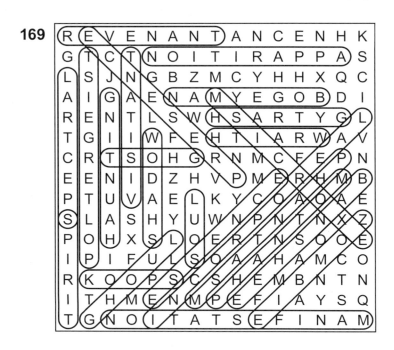

```
R E V E N A N T A N C E N H K
G T C T N O I T I R A P P A S
L S J N G B Z M C Y H H X Q C
A I G A E N A M Y E G O B D I
R E N T L S W H S A R T Y G L
T G I I W F E H T I A R W A V
C R T S O H G R N M C F E P N
E E N I D Z H V P M E R H M B
P T U V A E L K Y C O A O A E
S L A S H Y U W N P N T N X Z
P O H X S L O E R T N S O O E
I P I F U L S O A A H A M C O
R K O O P S C S H E M B N T N
I T H M E N M P E F I A Y S Q
T G N O I T A T S E F I N A M
```

170

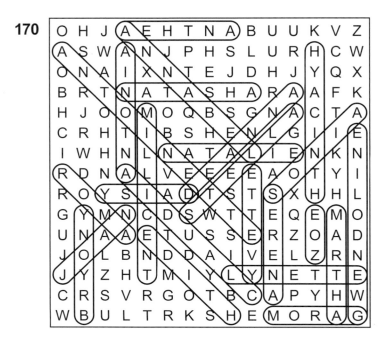

```
O H J A E H T N A B U U K V Z
A S W A N J P H S L U R H C W
O N A I X N T E J D H J Y Q X
B R T N A T A S H A R A A F K
H J O O M O Q B S G N A C T A
C R H T I B S H E N L G I I E
I W H N L N A T A L I E N K N
R D N A L V E E E E A O T Y H
R O Y S I A D T S T S X H H L
G Y M N C D S W T T E Q E M O
U N A A E T U S S E R Z O A D
J O L B N D D A I V E L Z R N
J Y Z H T M I Y L Y N E T T E
C R S V R G O T B C A P Y H W
W B U L T R K S H E M O R A G
```

171

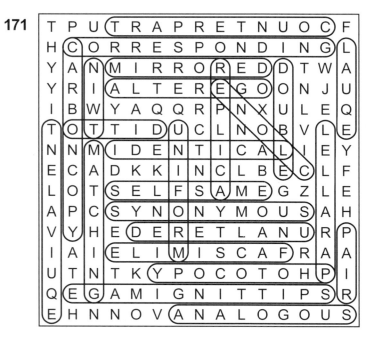

```
T P U T R A P R E T N U O C F
H C O R R E S P O N D I N G L
Y A N M I R R O R E D D T W A
Y R I A L T E R E G O O N J U
I B W Y A Q Q R P N X U L E Q
T O T T I D U C L N O B V L E
N N M I D E N T I C A L I E Y
E C A D K K I N C L B E C L F
L O T S E L F S A M E G Z L E
A P Y C S Y N O N Y M O U S H
V A H E D E R E T L A N U R P
I I E L I M I S C A F R A A I
U N T K Y P O C O T O H P I R
Q E G A M I G N I T T I P S R
E H N N O V A N A L O G O U S
```

172

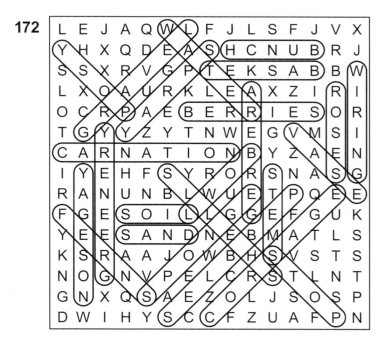

```
L E J A Q W L F J L S F J V X
Y H X Q D E A S H C N U B R J
S S X R V G P T E K S A B B W
L X O A U R K L E A X Z I R I
O C R P A E B E R R I E S O R
T G Y Y Z Y T N W E G V M S I
C A R N A T I O N B Y Z A E N
I Y E H F S Y R O R S N A S G
R A N U N B L W U E T P Q E E
F G E S O I L L G G E F G U K
Y E E S A N D N E B M A T L S
K S R A A J O W B H S V S T S
N O G N V P E L C R S T L N T
G N X Q S A E Z O L J S O S P
D W I H Y S C C F Z U A F P N
```

SOLUTIONS

173

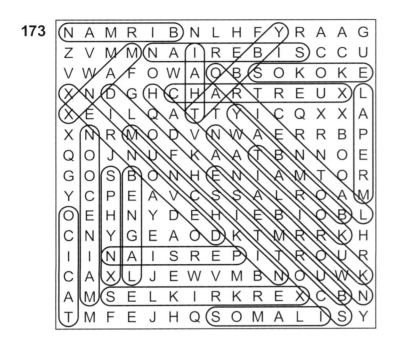

174

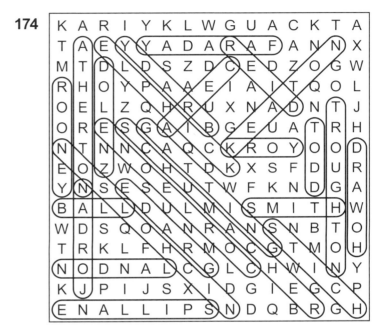

175

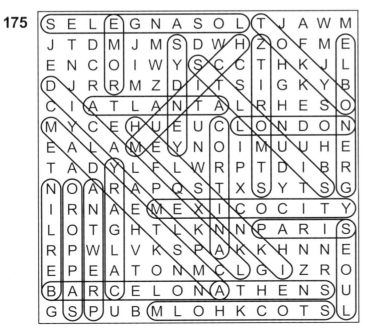

176

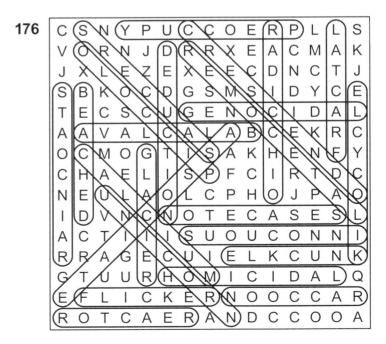

SOLUTIONS

177

```
R B X C N Y I Q K E V E G D K
A D G A E G Q D R R O N I M R
A G Z E T I N Y T O T Q F Y E A
A W Q P D N O S P E T S C H S
M C T A D R N G X G C N H T C
U F T N E A I S V N B Z R I U A
F F N A Y L A C I A U L N L O L
F E F T X B R M R C O I D Y T
I C N A A P B C Q I T Y P N V
N S I U S I H O J R O S B U N
J E V N I S J E V P H K A P
J E L F O N J U V E N I L E I B
Z O O H R X A K S A V S H Y D
J D A U G H T E R E I S S A L
H A L K S B U R E H C E B D A
```

178

```
S I R T S E V P K S T H N X B
X W L E I R A C C A I R O R Y
E T S E L E C Y R A M J I M D
E L G A E B C X W M L O R O M
K F R M C D W A E X G Y O X I
S A E A R C A D I A O H P D S
S K S R T F U E H L L G R S S
N O O G W S R R K E D Z I A O
N N L P A R O A L V E H M V U
I I U X Q T A L M C N A A N I
M I T H I E I J N Q H D P N N
I K I N I N S A Z V I U L N Y
T I O Y I G R S P I N T A A H
Z M N S B F L Y E U D R B H R
O G R A I I J K X X O X H F X
```

179

```
F R L I M A D P I N T O P W E
T F W B R A G U S F U S U R A
I A W O O L C P N I O M L T K
X O I R F E G H J A A V S A C
I A B A U N S S W L E R E N O
F T V C I T N U F D E P U U D
L A L R Z I L A Z N T G M C Q
A D T A U L L Q N A T U U U T
G S D A H F H U F H S E J M N
E R G K A D R W L N G N U M E
O Y R N O E O A O W Y S M R N
L U B O T R R W X H N V E A E
E Y S T R L P T V A Z L A Z E
T D U A A E S J P S C Z I N R
L B M Q A K U J F U M K R S G
```

180

```
X P C N Y A C P P T U G O Q Z
R V O O A I Z Y J G O G V E R
I U M Y I B L C M J O N H Z C
D Z O Y N M U A H T Z G C O S
L J R X A A X L M A S C N G O
A E O L Z Z Y V B I D T H O C
D Q S U N G D J I B O U T I C
N W O O A O P X X M D N A H O
N A A P D T R B A Y A N I E M R
G I I P K H Y A B G R S G A L O
U B Q R S N O U G E C I Y A M
A I X U E C P S B H N A P A B
S M D K G G F I R T X I T W K
P A A N G O L A T J J F N I W
N N A C I R F A H T U O S A K
```

SOLUTIONS

181

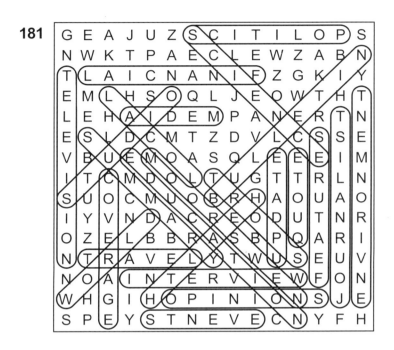

182

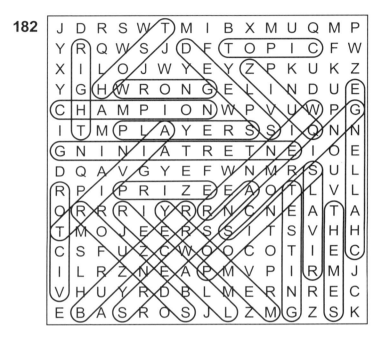

183

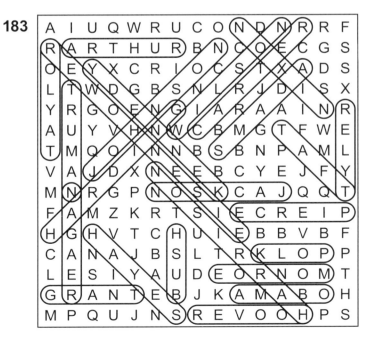

184

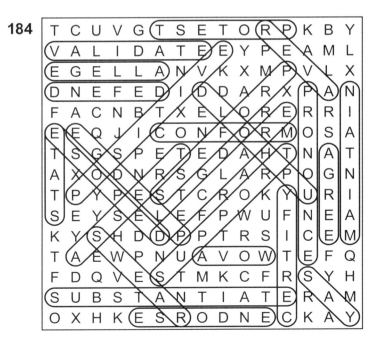

SOLUTIONS

185

```
P K N V A S G N I T E E R G J
Y V W A Q Y E D G B O M D I A
A W A C M T I U E A M S G E N
D X I G F A T H Q C Q A O D M
D A X A O E S O Y G Q L O R A
O T D E N O H T G D H V L A G
O O Z T W U D R E S W E F T W
G F A U A Q V E U G S O L A E
R G G A D D O G V O O U H O L
M R W X T M D O H E J N R B C
A F L B O A L O H A N N A G O
A H Q L G O L L E H G I O T M
L T A V E L K O M M E N N B E
A H B U O N G I O R N O P G W
S J R A D U W A T R J J W V C
```

186

```
P R V A N H T N O M M A G Z C
K U J T P T O R V L B R A W N
E H S S L B P F I F L I T C H
V A J A F Z Y A F K Y P R G O
G M B E Z N U F T A S G I I T
F S C R Q Q P S E Y L A P F D
S A Q B A T M F L G V D E E O
T N N C H I P O L A T A P E G
E D G P T O N O I Y J O R B I
L W H Y N B A S F I L C R G G
B I J W I U D I I A T M S N O
I C C N O C A B C R A G O U T
G H W W J K O S N E K C I H C
O J S Z V L E G L C V B S J D
J A T E L T U C E S O O G O F
```

187

```
M U I N O G O O O Q N B S C O E
C J K W X R O T Y J M I E O R
E N P J E O E L O R X S E L E
E N U N L Q E G O C E E L O H
I L A I N W I W G A E N G N P
Q L T G E U L A A Q G E R G S
L H L L G E N X M R O G A V O
J F L P E A Q S O E O O S G O
G P O H E O B B U O T O S N M
T S Y C O O L Q S E H J K I P
L C D A F A P E M R E K R Z A
O O T A A R H U S O C E Q O H
K R A V D R A A F Y A G R O C
K O Z M T U O P L E E D Y I A
O A O O S T E N D E E L A M E
```

188

```
W Y G A B C N O Z A L B S A X
T M K B Z S H J N S M E V T D
D O T T O M D A Q A U I C E R
E Y X J L R N E R X L N A E G
U C F D O T D E G G L N A M A
E G I E L I P U A M E O E N A
R B M R N M N Q R C T N L N L
I S W Z T S N I Q E M D O A I
T V S M R A I N F A S L P I A
L L A P E O K G R F H N A P L
A Y T U F M R C N E I N R L E
S W R I R V B L O O V R D A T
B D E X Q I D L E C J I G B I
E L O Z E N G E E L T L W T H
D O R M A N T T K M E J Q C T
```

SOLUTIONS

189
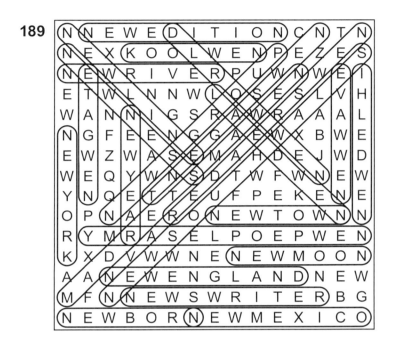

190
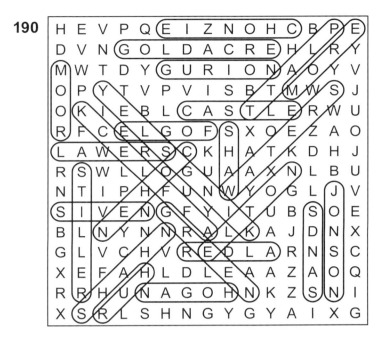

191
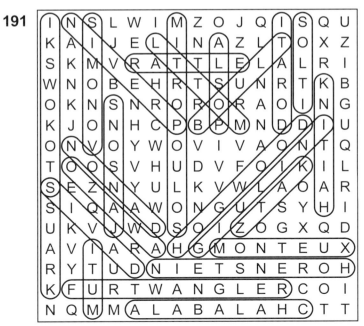

192
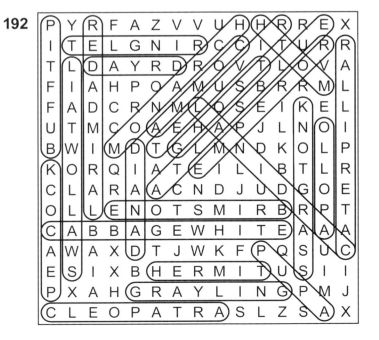

SOLUTIONS

193

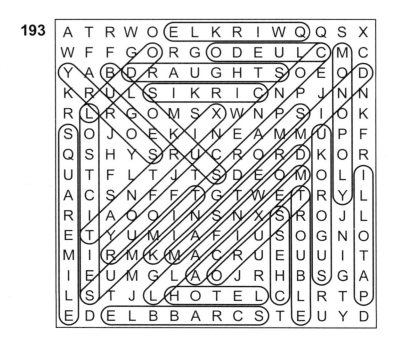

194

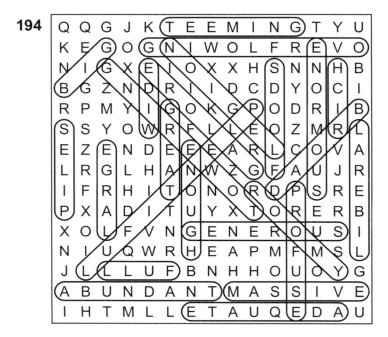

195

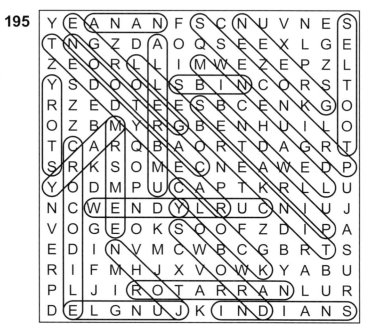

196

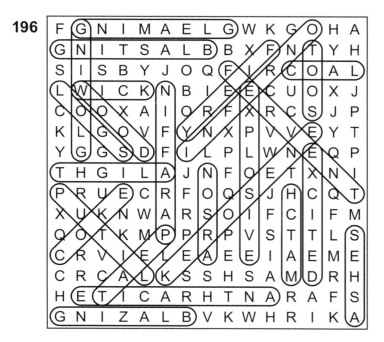

SOLUTIONS

197

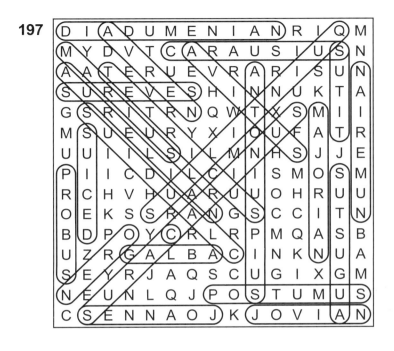

198

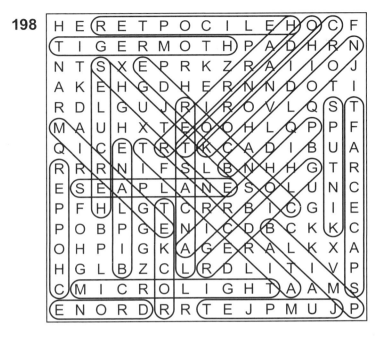

199

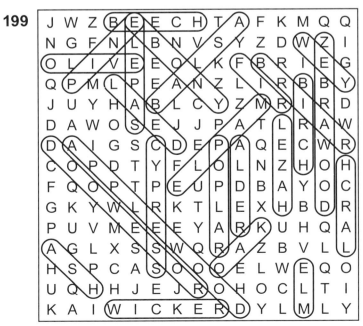

200

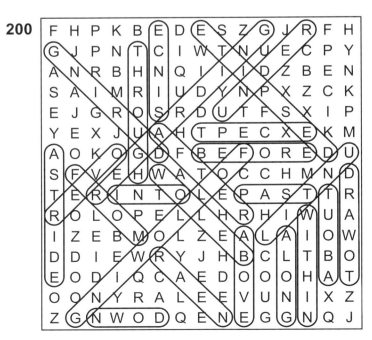

SOLUTIONS

201

```
A I P M Y L O Q S P L N X T W
L N D A N Y A W Y A N I W O J
L G Y S U A C D K B K C B F G
E B O O E N E I R P D E L O S
P C O R I N T H A A N G K O R
E M O R X A G E S L X O C Q L
I H S A M T M O R A L A B N A
N X I H S A G V P I R C B C L
Y D N T P F Q Q E P H E S U S
K F A A V Y H P A E T J O R
A H T A R B A S Y F K L E Y C
T M J P T T S O D O M E A O I
C R G T A X E P V S J M P E Z
T U O B M B L P R A R A D A G
C N I Y R G Y D Y V N A Y X H
```